史玉柱的8堂创业课

Shi Yuzhu De Batang Chuangye Ke

周锡冰 著

人民东方出版传媒
東方出版社

目 录

第二部分　商业模式比产品本身重要

第三部分　创业成功绝不能靠忽悠

第四部分　营销没有专家

第五部分　再小的企业，一开始也要规范

第六部分　创业的最大挑战是抵制诱惑

第七部分　做企业不能只靠营销成功

第八部分　给员工高工资时成本最低

自 序

在中国 30 多年的改革浪潮中，巨人集团的创始人史玉柱无疑是这个时代最具传奇色彩的企业家之一。

1989 年，深圳大学软件科学系（数学系）研究生毕业后的史玉柱下海创业，以 4000 元创业资金起家。他研究开发的 M–6401 排版软件 4 个月就赚了 100 万元。随后又推出 M–6402 软件，销量居全国同类产品之首。

1991 年，史玉柱成立巨人公司，推出 M–6403，实现利润 3500 万元。

1993 年，巨人集团推出 M–6405、中文笔记本电脑、中文手写电脑等多种产品，其中仅中文手写电脑和软件的当年销售额即达到 3.6 亿元。巨人成为中国第二大民营高科技企业。

1994 年年初，巨人大厦动工，计划 3 年完工；史玉柱当选中国十大改革风云人物。

1995 年，史玉柱被《福布斯》列为内地富豪榜第 8 位。

短短 5 年的时间，史玉柱就位居福布斯“大陆富豪排行榜”第 8 位。

然而，史玉柱却因为修建中国最高的巨人大厦，财富如同过山车一样，顷刻间灰飞烟灭，史玉柱沦落为负债 2.5 亿元的“中国首负”。1997 年，因一连串盲目扩张的决策失误和兴建巨人大厦造成的资金链断裂而导致巨人集团轰然倒塌，史玉柱欠下 2.5 亿元的巨额债务，沦落为“全国最穷的人”，演绎了一个企业盛极而衰的经典案例。

史玉柱在这段最黑暗的岁月中，依然坚持着自己的梦想。经过几年的卧薪尝胆，又携带脑白金卷土重来，不仅还清了巨人集团曾经欠下的巨债，还再次成为亿万富豪，甚至有媒体说，此时的史玉柱更胜过其在巨人集团当年的鼎盛时期。

如果说经商是一场精彩而又刺激的网络游戏，史玉柱则是玩了一把“大翻盘”。从一穷二白的创业青年，到全国排名第8位的富豪，随后成为负债2.5亿元的“全国最穷的人”，再到身价500亿元的“资本家”……然而，史玉柱当年却是一个彻底的失败者，事实上，失败这个词对于史玉柱来说，意义非常巨大。

在史玉柱的创业历程中，从创业到成功，再经历巨大失败，后再东山再起，期间就像一个谜团，诡异得让人疑窦重生。然而，史玉柱与脑白金、黄金搭档这些当红保健品的关系始终若明若暗。而今的史玉柱尽管功成身退，但在一串错综复杂而又布局缜密的公司链条背后，却始终闪动着他的身影。

时间再次回到1998年，史玉柱在经历过重大失败之后，开始重新创业。史玉柱带领一批巨人旧部开始做脑白金，在短短两年时间内，就把脑白金打造成全国保健品单品销售冠军，创造了年销售10亿元的奇迹。

2001年，史玉柱还清了巨人集团曾经欠下的2.5亿元债务，并将“敢于承担个人责任”写进新巨人集团的经营理念，用行为宣示了“追求诚信才能东山再起”的游戏规则。

史玉柱的东山再起书写着民营企业家命运沉浮变幻的序列再次崛起的故事。2001年，史玉柱获选“CCTV中国经济年度人物”。

而后的几年，史玉柱带领巨人集团开始了一段新的征程。2007年11月1日，史玉柱旗下的巨人网络集团有限公司成功登陆美国纽约证券交易所，总市值达到42亿美元，融资额为10.45亿美元，成为在美国发行规模最大的中国民营企业，史玉柱的身价突破500亿元人民币。

2009年3月12日，福布斯全球富豪排行榜，史玉柱以15亿美元居468位，在中国大陆位居第14位。

2012年《财富》推出中国最具影响力的50位商界领袖排行榜，史玉柱榜上有名，排名第22位。

2013年4月9日，巨人网络集团宣布史玉柱因个人原因辞去CEO一职，该项决议于2013年4月19日生效，史玉柱将继续保留其巨人网络公司董事会主席的职务。

如今，功成身退的史玉柱，不仅拥有数百亿优质资产，同时还赢得了“营销大师”、“商业奇才”的赞誉。

中央电视台在“中国经济年度人物颁奖词”中是这样描述史玉柱的：“中国首部完整记录史玉柱创业人生的倾力之作。从一无所有到亿万富翁，他是一个著名的成功者；从亿万富翁到一无所有，他是一个著名的失败者；再从一无所有到亿万富翁，他是一个著名的东山再起者；他创造了一个中国乃至全球经济史上绝无仅有的传奇故事。第一次，他上演了一个成功的版本；第二次，他演绎了一个失败的案例；这一次，他从哪里跌倒就从哪里爬起，并完成了对企业家精神的定义：执着、诚信，勇于承担责任。”

《京华时报》是这样评价史玉柱的：“从一穷二白的创业青年，到全国排名第8的亿万富豪，再到负债两个多亿的‘全国最穷的人’，再到身家数十亿的资本家，史玉柱演绎的真实故事，情节之丰富、命运之跌宕，超乎财经小说的想象发挥。”

美国《福布斯》网站同样对史玉柱评价很高：“史玉柱2004年重返IT行业，并凭借自己创建的网络游戏服务提供商——征途网络大获成功。因此，他也成为中国最具传奇色彩，同时也是最难以预测的企业家之一。”

中央电视台、《京华时报》、美国《福布斯》网站等媒体的高度评价，足以说明史玉柱这个具有传奇色彩的创业者的丰功伟绩。

第一部分

创业前要有失败的准备

不是为了成功，而是为了失败。竞争是残酷的，成功率也是极低的，这是创业的真实情况。因此，还没有出发，创业者就应该在思想上明确，自己随时都有可能失败，更应该知道，创业路上从来不会一帆风顺。

——巨人创始人　史玉柱

第一章

不讲诚信要付出巨大的成本

在世界上的其他地方，要想一夜成名、一夜暴富，基本上可能性比较小，但在中国，只要你足够执著、诚信，勇于承担责任，你就完全有可能成功，一言以蔽之，你可以“赢在中国”。

——巨人创始人　史玉柱

在中国只要执着、诚信就可能成功

可以肯定地说，任何一个创业者都希望自己创办的企业基业长青、永续经营，但要真正实现这样的梦想，可谓是“蜀道之难，难于上青天”。

可能有读者会问，这是为什么呢？这主要源于越来越多的创业者背离了传统的中国文化，在中国传统的文化中，倡导儒家“五常”——“仁、义、礼、智、信”。

研究发现，在中华民族五千年的灿烂文化中，“诚信”二字占有极重要的位置。人无诚信不立、企无诚信不兴、国无诚信不强、社会无诚信不稳。[①]

① 马文凤：《呼唤诚信：全社会的心声》，载《河北经济日报》2009年6月13日。

然而，一些企业经营者只顾眼前的蝇头小利，并没有考虑长远的利益，仅仅为了获得高额利润便降低产品质量。许许多多的知名企业在短暂的风光之后就夭折了，其原因就是只顾眼前利益，存在着投机的侥幸心理。

可以肯定地说，从某种意义上讲，市场经济就是信用经济，离开了诚信，在互不信任、互相防范的情况下根本不可能有市场经济的真正发展。但是，在目前，诚信却成了一种稀缺资源，匮乏到有人出面呼唤设立“诚信日”。因而史玉柱的还债行动一再被人们推崇为守信的典范，[①]因为史玉柱知道，不讲诚信就要付出巨大的成本和代价。

在很多公开场合，史玉柱在接受媒体采访时坦言：“我们身处的这个社会和时代之所以伟大，其中一个原因，是它能给从零起步甚至从负数起步的人提供巨大的商业机会，并让他最终成功，可以毫不夸张地说，它是许许多多具有发财致富梦想的人实实在在的天堂。在世界上的其他地方，要想一夜成名、一夜暴富，基本上可能性比较小，但在中国，只要你足够执著、诚信、勇于承担责任，你就完全有可能成功，一言以蔽之，你可以‘赢在中国’。”

大量事实证明，诚信不仅是做人的基本准则，也是创业企业发展的基石和竞争的重要砝码。史玉柱在接受《北京青年报》采访时曾告诫创业者：“重整旗鼓再创业，首先想到还百姓的债——这也是企业不可或缺的财富。企业的诚心是最重要的，中国不少企业缺的就是这一个。”在史玉柱看来，诚信是企业经营的第一要素。不讲诚信，企业必然要为之付出巨大的成本和惨痛的代价。

① 佚名：《财富新发现：中国市场之诚信回归篇》，载《北京青年报》2002年1月14日。

在 1999 年，史玉柱再次登上各大媒体的头版头条。重出江湖的史玉柱向媒体披露了自己的还钱计划——全部偿还巨人集团所欠下的 1.5 亿元楼花款。

而史玉柱的还钱之说就如同蝴蝶效应，小小的微波却激起了千层浪。不久后，一个媒体记者采访史玉柱时好奇地问道："您在 2001 年想做的最大的事情是什么？"史玉柱坦然地回答说："还债。"2001 年 1 月，尽管史玉柱时任上海健特生物科技公司策划总监，然而，他还是通过珠海士安公司按照还钱计划收购巨人大厦的楼花，从而践行自己的还债承诺。

曾经的经营失败没有让史玉柱忘记诚信，而是更加意识到诚信对于企业经营的重要作用。

在史玉柱东山再起的时刻，他用诚信来推广"史玉柱"，让媒体、银行、消费者记住"史玉柱"。对此，史玉柱解释说："商人也很现实，我是站在商人的角度，那我这个钱如果不还，我以后也做不大。出于商业的考虑，我也必须把这个钱还上。"

在史玉柱看来，商人如果不讲诚信，就要付出巨大的成本和惨痛的代价，这样将得不偿失。

1999 年 7 月健特公司成立时，史玉柱签署了一份借 1 亿元来偿还巨人集团所欠的款项的协议。该协议大致是这样的："健特公司运营脑白金，如果失败了史玉柱偿还公司本金，如果发展起来健特要借 1 亿元给史玉柱用来解决珠海巨人大厦的问题。将来健特要上市，到那时史玉柱再用获得的收益还。"然而，此协议却引来了来自社会各阶层的"嘘声一片"。有的人认为，这是史玉柱在"作秀"，其目的就是为自己的新产品免费做宣传，同时也是为东山再起策划一个极具轰动效应的免费广告。

在很多创业者看来，这笔原本可以不用归还的巨额欠款，只有傻子才会归还，只不过是史玉柱说说而已，不可能当真。

事实上，单纯从法律的角度来分析，史玉柱可以采用申请“破产”、“清盘”的方式来规避归还巨额的欠款。这样的话，那些巨额的欠款就与史玉柱没有什么关系了，这是很多法学专家都认定的事实。然而，史玉柱却选择了偿还巨额欠款。作为一个企业来讲，最重要的道德制度就是诚信的原则，史玉柱还钱的行为表明了他的诚信，表明了企业的诚信，这对他和他的企业的前途，都是一个无心插柳的高回报投资——虽然这种投资本身就代价高昂。[①]

在中国的商业史上，“诚信”一直被视为经商之根本。当2001年史玉柱还清了全部欠款时，曾经对史玉柱的怀疑和否定也都烟消云散了。

我坚守诚信是因为我曾经不诚信过

作为企业家的史玉柱，在第二次东山再起之前，高调宣布归还巨额欠款，不仅是在宣誓高调回归，他更为关注的还是商业信誉问题。

在史玉柱看来，没有什么比信誉更重要，甚至是生命。诚信，作为一个基本的伦理道德要求，不仅在我国传统文化中传承了几千年，而且早已成为现代社会的一种核心理念和价值观念。[②]

---

① 佚名：《诚信——企业用人的第一要着》，2013年12月1日，见http://blog.sina.com.cn/s/blog_3ddc60e401000buz.html。

② 马文凤：《呼唤诚信：全社会的心声》，载《河北经济日报》2009年6月13日。

不可否认，在商界打拼多年的史玉柱对于诚信的膜拜是常人所不能理解的。因为史玉柱明白，企业讲诚信，不仅能更好地树立自身形象，还能提高企业的竞争力。

然而，当有网友问史玉柱，当初为何没有在企业倒下时申请破产，从而可以独善其身的问题时，史玉柱回应称，如果申请破产会涉及史玉柱个人的信誉。史玉柱说："一旦信誉没了，以后也就无法在江湖上混了。"

资料显示，巨人集团的债务主要体现在以下三个方面，见表1-1-1：

表 1-1-1　巨人集团债务的三个部分

（1）	巨人集团分公司的经营债务；
（2）	在中国香港特别行政区所销售的楼花没有兑现的债务；
（3）	在中国大陆地区，投资者所购买楼花而没有兑现的债务。

事实上，对于2001年的史玉柱而言，其最想做的也是最大的事情就是还清巨人集团所欠的巨额债务。

按照史玉柱2001年年初的估算，到2001年年底以前，巨人集团曾经所欠的一切债务都可以还清。

读者可能会好奇地问，作为巨人集团创始人的史玉柱，到底有多少债务？而史玉柱又还了多少债务呢？

据资料显示，巨人集团当年的负债大约在3亿~3.5亿元人民币。在这3亿元左右的债务中，需要支付1.5亿元来还清购买巨人大厦楼花的债务，而欠其他企业的债务大约在1.5亿~2亿元。

面对这三部分债务，二次创业成功的史玉柱开始践行自己的承诺——还债。在2001年2月，为了偿还购买楼花人的债务，史玉柱为债权人提供了两种偿还方式，见表1-1-2：

表 1-1-2　偿还购买楼花债权人的两种偿还方式

（1） 用现金一次性偿还	第一种方式是按照当初投资者购买金额的 70%，一次性用现金偿还。偿还期为 2001 年 1 月 31 日到 2001 年 2 月 15 日。
（2） 分期偿还	第二种方式是按照购买金额的 100% 偿还，但是要分两期支付，即现期支付 40%；在 2001 年年底再支付剩余的 60%。

当史玉柱的还钱方式公开后，2001 年年初，大部分投资者出于拿回更多资金的目的，纷纷采取了分期偿还的方式，即在 2001 年年底再拿回最后 60% 的欠款。

让史玉柱感到欣喜的是，此次还债不仅非常顺利，而且还找到了 90% 的债权人。当然，这其中一部分人是按照购买金额的 100% 的方案，一部分人是按照购买金额的 70% 的方案。有 75% 的债权人选了分期偿还的方案，债款分两次付，年底再付一次，这部分欠款大概涉及 2000 万元左右。

史玉柱还债的新闻传播得非常快，当联想集团创始人柳传志得知史玉柱主动还债的消息后，当天晚上就打电话给史玉柱。

在中央电视台财经频道的一次访谈节目中，作为中国企业界一面旗帜的柳传志对史玉柱当年的还钱举动倍加赞赏。柳传志称赞说："咬紧牙关还钱，表面上看史玉柱好像吃亏了，一亿多元现金他付出了，但是这个回报史玉柱觉得不止一亿元。巨人集团给自己将来的定位还是很高的，他还是有野心的，要做到很大规模。因为将来定位高，如果有一笔不良记录在这个地方，对集团将来的发展是很不利的。作为一个民营科技企业家，要有一种社会责任感，是你的错就要敢于承担。再说欠的是老百姓的钱呀！另外，史玉柱忘不了在最困难之时，浙江大学几位大学生写给他的信，他们希望他这个校友不要让创业的大学生失望！正是这些鼓励，史玉柱今天才会有钱还，才能再站起来！”

而今天的史玉柱不仅还清了当年巨人集团所欠的债务，而且兑现了自己的诺言。在史玉柱看来，不管未来社会的风向标指向什么方向，只有诚信，欠债还钱，遵守承诺，巨人集团才有未来。如果你不遵守这个法则，那么为此付出的代价会是很大的。

史玉柱坦言：“我坚守诚信是因为我曾经不诚信过。”后来，史玉柱在中央电视台财经频道《赢在中国》栏目中点评创业选手时回忆说：

> 在困难的时候，比如我还老百姓钱的时候。大家都说我很诚信，实际上是因为什么？是因为我曾经不诚信过，在我困难的时候，我对老百姓的承诺，我没有兑现。
>
> 因为我没有兑现，我发现这个成本太高了。对我未来的路子成本太高，以至于以后我对自己这方面要求就很高。
>
> 不诚信的是吧？我说三年之内我要把他们的钱还掉，我满了三年我没有还出来，没有还出来，老百姓那时候是很痛恨我的，看到他们对我愤怒的眼光，那种冲击是非常大的。所以我后面这些东西，实际上我是在弥补我过去的过失。

在史玉柱看来，只有坚持诚信才能把企业做强做大。史玉柱说：“做任何一件事或者违反任何一个规则，都是要付出成本的。只不过我觉得作为一个企业，你不诚信而付出的成本是十分巨大的，这个都是血的教训换来的。”

第二章

创业前要有失败的准备

我曾经是一个著名的失败者，我害怕失败，我经不住失败，所以只能把不失败的准备工作做好。

——巨人创始人　史玉柱

90% 的困难你现在想都没有想到，你都不知道那是困难

对于任何一个创业者而言，90% 的困难是你现在想都没有想到的，你都不知道那是困难。对此，史玉柱就曾告诫过创业者，在开始创业之前，应该理性地对待创业，正确地评估创业存在的风险，切忌盲目乐观。

在中央电视台财经频道《赢在中国》第二赛季晋级篇第五场中，有一名创业选手冯志刚。冯志刚的参赛项目是殡仪服务连锁。

冯志刚对参赛项目是这样介绍的：殡仪有特殊的地位，市场很大。目前我国每年新增的老龄人数是 800 万人，今后 50 年，这个行业的总体发展趋势是非常强劲的。目前这个行业是以单一的服务满足所有人的需求，做不到人性化和个性化。这个行业在国外已经形成了很成熟的商业模式和品牌连锁效应，但在国内还没有出现消费者信赖的品牌。民政

部已经明确地将殡仪服务的市场化作为“十一五”期间的主要工作任务，这为殡仪事业的发展带来了非常大的发展契机。

史玉柱问完问题后，做了如下点评：“我觉得你目前的项目还只是处于一个商业计划阶段，还没有进入实施阶段。我觉得，你参赛完之后你的核心团队最迫切的一个工作应该是，用自己的心血，用你们大家的心血去建成一家店，这时别考虑连锁问题。我觉得先开一家店，不要考虑连锁，你就是想怎么能把你们最早的这种思路，在做这家店的过程中充分地发挥出来，在做的过程中还会发现更多需要你琢磨和钻研的地方，更多的更新的目标被提出来，你再去克服它，尤其还有很多障碍，我觉得你做的过程中才会发现，今天你不会发现的。90% 的困难你今天都没有看到，你根本不知道那是困难。所以你们回去之后要准备脱一层皮，去成功做一个店。”

事实证明，在创业之前，创业者往往过于看好创业未来的前景，以为只要把初创企业注册下来，不管是公司业务，还是初创企业的流动资金都能顺利地运转起来。

要是创业者这样想，那就大错特错了。如果创业者在创业前不把预计亏损的账算得充裕一点，往往容易陷入进退两难的境地。

史玉柱的告诫是有道理的，在创业之前，创业者必须做好足够的失败准备，这样创业成功的几率才会高很多。

在史玉柱看来，只有创业前有失败的准备，才能尽可能地避免创业失败，因为失败让人刻骨铭心。

众所周知，在史玉柱的创业史中，很多媒体介绍他时都习惯地分为两个部分：（1）1997 年之前的巨人集团；（2）1997 年之后的巨人集团。

资料显示，1997 年之前的史玉柱，是一个天不怕地不怕的徽商汉子，振臂一呼要把巨人做成“中国的 IBM”。于是，过于乐观的史玉柱带领他的“火枪手”们在创业的大道上狂奔，而横冲直撞的后果就是惨败。

史玉柱当初豪言壮语要修建当时号称中国第一高楼的70层的巨人大厦，最终却留下一栋荒草肆虐的烂尾楼，外加几亿元的巨额外债。

而史玉柱这样的境遇成为中国众人皆知的一个饭后谈资。可以说，高歌猛进的史玉柱遭受到了人生的巨大打击。经受过失败打击的史玉柱，在公开场合告诫创业者，在创业前要有失败的准备。

我想这样的经验是在失败教训的基础之上炼成的。在1997年之后的10多年，史玉柱在二次创业中，总是如履薄冰、小心翼翼。

当脑白金前途无量时，史玉柱竟然卖掉了脑白金，转而投资银行股，进军网络游戏。在一片废墟和瓦砾上，转眼练就了超过500亿元的又一个财富传奇。

可能好奇的读者会问，史玉柱为什么能在第二次创业中“惊天逆转”？这主要还是源于史玉柱第一次创业的失败经历。

在之后的创业中，史玉柱都始终坚持自己制定的三项“铁律”，见表1–2–1：

表1–2–1　史玉柱制定的三项“铁律”

“铁律”一	必须时时刻刻保持危机意识，每时每刻提防公司明天会突然垮掉，随时防备最坏的结果。
“铁律”二	不得盲目冒进，草率进行多元化经营。
“铁律”三	让企业永远保持充沛的现金流。

不可否认的是，史玉柱能“惊天逆转”，离不开这三个“铁律”的功劳。而今的史玉柱在投资时非常慎重。

史玉柱多次坦言，无论投资哪一个项目，他都会先假设这个项目会遭遇失败。对于创业者而言，史玉柱的经验是值得借鉴的。

在实际投资中，史玉柱投资任何一个项目，都必须要有投资该项目失败的打算。在史玉柱看来，投资任何一个项目，都必须充分地考虑很多负面因素、消极因素。

实际上，负面因素考虑得越多、越细，还能提升项目投资的成功几率，对创业也越有好处。

相反，在创业之前，如果创业者想得越是浪漫，越是考虑这个创业项目可以帮助创业者赚取多少利润，而不去考虑风险因素或者负面因素，甚至连操作层面因素也不去考虑或者考虑得非常少，那么这样的创业，其失败率通常是非常高的。

对此，史玉柱在接受媒体采访时说：

> 我认为企业运行到现在的规模，安全是第一位的，发展已不再是第一位的。
>
> 首先，我的产品能够持续稳定地发展，公司不会哪天突然就不行了。
>
> 其次，在财务状况上要安全，有足够的现金储备。战术上的储备包括现金、国库券，战略上的储备包括我们买的华夏银行、民生银行的法人股，赢利能力和套现能力都很强。
>
> 在人才方面，公司的核心干部要能稳得住，不能让他流失，有流失的话也可能不安全。
>
> 我在财务上比较保守，举债率控制在10%以内是绿灯；20%是黄灯；30%是红灯，是绝对不能碰的。我们现在就差不多是15%左右。
>
> 我们的纳税连续3年都超过了两亿。我的基本态度是这样

的：能争取国家的优惠政策就尽一切可能争取，但在这个基础上，我给财务的规定是不准偷漏一分钱的税款。这样至少可保证公司不出现大的问题。

我不会乱投资，投错一个项目可能就是致命的，我只会做一些战略储备、短线投资。中海集团在香港上市时我作了两亿多的战略投资，上市第二天就亏损5000万，（当然）现在是赚了。李嘉诚是投得最多的，我亏损5000万的时候，香港报纸说李嘉诚亏了两亿呢。眼下我是啥也不投了。[①]

在1997年以后，史玉柱坦言，不管是投资任何一个项目都要先假设这个项目是失败的。例如，在网游项目立项时，史玉柱就会考虑，如果网游项目失败了，公司的财务状况能不能满足公司日常的运营。

一旦网游项目失败，哪些才是最有可能导致失败的因素？比如，第一，网游的产品不好；第二，团队核心员工可能流失……而史玉柱将网游项目的失败因素罗列了十几个。然后，史玉柱再根据这些问题一一地想办法解决。

当史玉柱这样做之后，网络游戏这个项目的风险相反还降低了不少。史玉柱如果只是看到盛大做游戏赚钱了、网易做游戏赚钱了，就仓促决定上马，这样的决策往往欠考虑，最终导致失败就是难免的事情。

① 佚名：《史玉柱和他的“脑白金”、“黄金搭档”》，2013年12月1日，见http：//finance.qq.com/a/20081212/002864.htm。

做任何项目都要有失败的打算

风光无限的史玉柱在高歌猛进中倒下了，这个背着2.5亿元巨债的“中国首负”就这样跌入了“十八层地狱”。

在经历过惨痛的失败之后，史玉柱黯然离开广东，“北上”隐姓埋名了。时隔10年之后的2007年8月，在上海桂林公馆，当面对媒体记者的旧事重提，史玉柱回忆事业最低谷时的感受：“那时候就是穷，债主逼债，官司缠身，账号全被查封了。穷到什么地步？刚给高管配的手机全都收回变卖，整个公司里只有我一人有手机用，大家很长时间都没有领过一分钱工资。”

正是这样的失败教训使史玉柱的危机意识明显地增强。史玉柱表示，现在无论企业发展形势有多好，他都会每天提醒自己也许明天就会破产。

然而，这样的感悟毕竟来得不是太晚。在这里，我们还是有必要介绍一下史玉柱1997年以前的经历，特别是第一次创业的经历。

史玉柱，1962年9月15日出生在安徽省蚌埠市怀远县城关镇进山路30号。

1980年，18岁的史玉柱以安徽省怀远县总分第一的成绩，顺利地从怀远一中毕业，而且还以数学119分（满分120分）的成绩考入浙江大学数学系。

1984年，毕业于浙江大学数学系的史玉柱被分配到安徽省统计局，负责各种数据的分析处理。

然而，尽管史玉柱当时只有24岁，但他却做出了出类拔萃的工作成绩，而正是史玉柱做出的业绩很快引起了有关领导的关注。

于是，上级领导将史玉柱作为领导干部来培养。没过多久，上级领导决定将史玉柱作为第三梯队送到深圳大学科学管理系进修研究生。史玉柱毕业之后就可以升为处级干部。此刻，在仕途上，史玉柱面临的是一个有远大前程的美好未来。

1989 年 1 月，毕业于深圳大学研究生院的史玉柱做了一个令同事们吃惊的决定——下海创业。

很多人在深圳这个被称为“经济特区”的地方书写着形形色色成功的创业故事。

在史玉柱看来，中国的电脑软件开发将是一个商业价值巨大的蓝海市场。然而，此刻的史玉柱在登上飞机飞往深圳时，全部的家当也不过是东挪西借的 4000 元创业资本。

而这区区的 4000 元对于当时的深圳而言，还不够一些大款们喝一次茶的餐费。然而，正是这 4000 元创业资金，帮助史玉柱书写了中国一个神话般的创业故事。

当然，此刻的史玉柱，除了 4000 元的创业资金以外，还有他耗费 9 个月心血开发出来的 M-6401 桌面排版印刷系统。

在 1989 年的那个夏天，已经下海创业的史玉柱自认为自己开发的 M-6401 桌面文字处理系统很完善。由于受到当时深圳大学一位在科贸公司兼职的老师的器重，史玉柱得以以 4000 元的价格承包了一个电脑部。

该电脑部虽然称之为电脑部却没有一台电脑。当时，除了一张营业执照和 4000 元钱，史玉柱一无所有。而当时深圳最便宜的电脑一台价格也要 8500 元。为了能购买到电脑，史玉柱以 9500 元每台的价格，即以加价 1000 元为条件，要求电脑销售商允许推迟半个月的付款时间。

史玉柱赊到了平生第一台电脑。

为了推广产品，史玉柱用软件版权作抵押，在《计算机世界》上以先做广告后付款的方式，连续做了 3 期 1/4 版的广告，推广预算共计 17550 元。

1989 年 8 月 2 日，史玉柱利用报纸《计算机世界》先打广告后收钱的时间差，用全部的 4000 元钱做了一个 8400 元的广告："M-6401，历史性的突破"。然而，《计算机世界》给史玉柱的付款期限只有 15 天，可一直到广告见报后的第 12 天，史玉柱仍分文未进。

就在关键时刻的第 13 天出现了转机，即 1989 年 8 月 15 日，史玉柱收到三张邮局汇款单，共获得 15820 元。至 1989 年 9 月中旬，史玉柱用 4000 元的广告费换来了突破 10 万元的销售额。

史玉柱用第一笔利润付清欠账后，索性把其剩下的销售款全部投在了广告上。4 个月后，M-6401 销售额突破 100 万元。

这是史玉柱创业史的第一桶金。此后，史玉柱又陆继开发出 M-6402，4 个月后营业收入即超过 100 万元。

面对好评如潮的产品和日益增长的销量，此时的史玉柱萌生了创办公司的想法。史玉柱说："IBM 是国际公认的蓝色巨人，我办的公司也要成为中国的 IBM，不如就用'巨人'这个词来命名公司。"

1991 年 4 月，史玉柱带着汉卡软件和 100 多名员工来到珠海，注册成立珠海巨人新技术公司（巨人集团的前身）。

然而，史玉柱与珠海结缘却有一段故事。史玉柱介绍说：

我们这时候有 100 多人，也有上亿的资产了。这时候我们就想注册公司，那时候我们还没有公司，我们还在别人的一个电脑部，是别人一个贸易公司下面的电脑部。我们就到深圳工商局去注册，将所有的材料递交上去。

工商局觉得，按照深圳市的规定，我本人——就是我公司的法人代表，必须出具我在“六四”期间的表现证明。我说我已经没有公职了，他要我到县团一级以上的人事部开证明。我说我已经没有人事部门了，“六四”期间我啥也没干，的确在研发产品。但他一定要我拿出证明。深圳规定，没有“六四”期间表现证明的，一律不给注册公司。于是我就磨，磨了半年我还是注册不了。

这时候珠海的科委不知道怎么就知道了这个消息，就找到了我，说你来我们珠海注册，我们珠海注册公司是不需要“六四”表现证明的。这个也就这么简单能有公司了，我们整个公司就搬往珠海了，实际也对珠海不了解，一到珠海，（就觉得）珠海真像个渔民村啊，一个城市总共才一个红绿灯。但是能注册公司，我们还是过去了。后来就在珠海发展，还比较顺利。①

从史玉柱的介绍中可以看到，在1991年7月，“巨人”实施战略转移，总部由深圳迁往珠海，“珠海巨人新技术公司”迅速升格为“珠海巨人高科技集团公司”，注册资本1.19亿元，下设8个分公司。这一年，M-6403桌面印刷系统共卖出2.8万套，盈利3500万元，为巨人发展打下了基础。②

1992年，38层的巨人大厦设计方案出台。此刻的巨人公司就像一

① 史玉柱：《史玉柱谈创业：王石在深圳靠倒卖录像机起家，不规范》，2013年12月1日，见http：//finance.ifeng.com/business/renwu/20130525/8075155.shtml。

② 屈腾龙：《史玉柱：最成功的失败者》，载《商界》2007年第10期。

枚刚发射的火箭，一冲云霄，到了 1993 年 7 月，巨人集团公司共组建了 38 个全资子公司。其规模仅仅排在中国大陆地区第二大民办高科技企业四通公司之后，拥有 M-6405 汉卡、中文笔记本电脑、手写电脑等几个核心产品。在这几个拳头产品中，光中文手写电脑和软件在 1993 年的销售额就达到 3.6 亿元。

在 1994 年年初，计划 3 年完工的巨人大厦开始破土动工。这座最开始设计为 18 层的办公大厦，在地方领导的鼓励下不断地被加高。从 18 层加高到 38 层、54 层、64 层，最后加高到 70 层。

然而，正是这号称当时“中国第一高楼”的大厦让史玉柱走下神坛，18 层的办公大厦，2 亿元投资就能完成；而 70 层竟然需要 12 亿元。这笔巨额的资金，史玉柱在短期内是无法筹集的。

1995 年，巨人发动“三大战役”，把 12 种保健品、10 种药品、十几款软件一起推向市场，投放广告 1 个亿，宣布要做到 100 亿销售额。史玉柱被《福布斯》列为大陆富豪第 8 位。[①]

转眼到了 1996 年，由于巨人大厦的建设需要大量资金，史玉柱决定将保健品方面的全部资金注入巨人大厦的建设中，保健品业务由于资金“抽血”过量，再加上管理不善，迅速盛极而衰。巨人集团危机四伏。脑黄金的销售额达到过 5.6 亿元，但烂账却有 3 亿多元。[②]

到了 1997 年年初，巨人大厦并没有按照原计划按期完工，各方债主纷纷上门讨债。而此刻巨人现金流彻底断裂，媒体“地毯式”报道巨人财务危机。

不久，只完成了相当于三层楼高的巨人大厦停工。伴随着“巨人倒

① 屈腾龙：《史玉柱：最成功的失败者》，载《商界》2007 年第 10 期。

② 屈腾龙：《史玉柱：最成功的失败者》，载《商界》2007 年第 10 期。

下”，史玉柱负债2.5亿元，不得不黯然离开广东。

史玉柱经历过一次失败后，在投资任何一个项目时，都会先假设这个项目是失败的。史玉柱在接受媒体采访时说：

> 做任何项目都要有失败的打算。做一个项目，负面因素考虑得越多，消极的因素考虑得越多，往往对这个项目越有好处。在投资之前，想得越浪漫，越是考虑这个项目我可以赚多少多少钱，风险因素考虑得少了，操作的层面因素考虑得少了，失败率往往也高了。
>
> 我现在做项目都是先假设这个项目是失败的，比如网游，假如我现在失败了，我首先要考虑财务状况，我能不能支持住？然后看如果要失败，有哪几点可能导致失败？比如，第一点我的产品不好，第二点我的人员有可能流失，等等，罗列了十几点，然后我再看这十几点，一一想办法解决。这么一轮下来以后，实际上这个项目的风险反而下降了，如果只是因为看盛大赚很多钱、网易赚很多钱，就仓促决定投资，往往考虑得就不那么深入，最终导致失败。①

正是史玉柱有慎重投资的思维，史玉柱才能够东山再起，才能取得如今的卓越成就。对此，史玉柱用开车的速度来形象地比喻公司经营，为了公司的安全，公司运营必须保持适当的速度。

史玉柱说：“我觉得我开车还是很慢的，快或慢不能单纯看资产的增长。我以前打这个比喻，实际上主要是从公司的负债率角度来看。一

① 史玉柱：《史玉柱和他过去的十年》，载《互联网周刊》2006年第12期。

个公司要高速发展，负债率很高的话，发展速度太快就很容易出事。巨人网络一直在稳步发展，公司一直强调安全。再一个，很多公司规模没有我们大，但一下子上很多项目，我们是上了第一个项目，做成功后，再考虑做第二个项目，一点点（地）往前推进。事实上，巨人业务的发展是强调精品战略的。我们控制开车的速度，但基础打好之后，实际的速度并不比别人慢，甚至反而更快。有些人总想开快车，但控制不好就会撞车。综合下来，我们愿意开（车开）得稳一点。”①

① 史玉柱：《巨人网络美国上市CEO史玉柱答记者问实录》，2013年12月1日，见http：//tech.sina.com.cn/i/2007-11-02/09541829195.shtml。

第三章 你的激情能保持下去，你的项目就能成功

你的激情能保持下去，你的项目就能成功。

——巨人创始人　史玉柱

创业最需要的就是要具有永恒的创业激情

在史玉柱的创业人生中，一路上曾经风光无限，但也遭遇过“万劫不复”的失败；从当初白手起家的“巨人汉卡”，到红遍中国的“脑白金”，再到《征途》系列；从中国耀眼的创业明星，到负债烂尾的巨人大厦，再到12年后新建研发基地；从破解上市魔咒到绿色转型成功，再到功成身退……

在一次次的历险中，史玉柱力挽狂澜。然而，史玉柱作为一个实实在在的创业者，对创业经验和教训都有着非常深刻的感悟。

在一些公开场合上，史玉柱表示，创业开局往往都很艰难。要想创业成功，重要的是要有充分准备。

在史玉柱看来，当今社会“白手起家”式的创业比10年前困难很多。对此，史玉柱说：“但幸运的是，对于创业者而言，现在创投也比较

多了。”

在很多场合，史玉柱告诫创业者说：“钱不是万能的，最关键的还是看创业者是否具备激情以及良好的商业模式。”

在中央电视台财经频道《赢在中国》第三赛季晋级篇的第二场中，创业选手吴鹏，男，1970年生，大学学历，他的参赛项目是，建立中国最大的体育纪念品营销平台，目前公司做的项目是国家金牌运动队和运动协会的专属纪念品和收藏品的连锁销售。其运营模式是从国家金牌运动队，如乒乓球、跳水等，拿到独家授权，进行特许连锁专卖，类似于北京2008年奥运会的特许产品连锁专卖。

当问完吴鹏问题后，史玉柱做了如下点评：“我提一个建议。看简历，你非常热爱体育运动，也非常热爱你的项目。我希望你能持续热爱这个项目8年、10年，甚至20年。保持住激情就能保住成功。”

在史玉柱看来，要想创业成功，离不开创业者的创业激情。对此，史玉柱告诫创业者说：“创业最需要的就是要具有永恒的创业激情，否则是不可能成功的。只有具备了永恒的创业激情，你才会自始至终勤勤恳恳、兢兢业业地去不断努力，不断地去摒弃别人的冷嘲热讽而更加斗志昂扬坚定必胜信念，不断地去学习有用的新东西，不断地去调查、分析、研究市场和项目，不断地去挖掘和寻找创业资源，包括资金、技术、市场团队……不断地去克服一个又一个困难和解决经营过程中遇到的各种矛盾，不断地总结失败的教训和成功的经验，不断地去扩充自己的实力和规模。你的账面上的银子也肯定会不断地增加再增加了。你也肯定会从失败的泥潭中站起来而走向成功，并从成功走向更大的成功！”

创业的精神核心仍然是无限的激情

对于任何一个创业者而言，在创业之前，必须做好充分的思想准备。因为在创业的这条道路上，必然是充满艰难和曲折的。

在一些公开场合，史玉柱说："创业，我觉得核心问题是精神的东西，而物质上的东西是次要的。"这就要求创业者具有永恒的创业激情。在面对任何创业困难时，总能持之以恒地坚持下去。这样，即使再艰难的创业道路，也能走下去。

在史玉柱看来，只有具有足够的创业激情，才能保证创业者创业成功。纵观古今中外的每一位创业大师，他们的创业道路都充满荆棘和坎坷，从来就没有一帆风顺的时候。

尽管困难和挫折难免，但是要想顺利地成功创业，就必须具备永恒的创业激情，而且还要保持这种创业激情。这样才能始终保持创业者旺盛的激情、昂扬的斗志、积极乐观的情绪、坚定的信念和顽强的意志。

在中央电视台财经频道《赢在中国》节目上，史玉柱点评创业者说："七号，现在你很热爱你的项目，你的激情能保持下去，你的项目就能成功。对于一个部门来说，不能是一个人来倡导一种文化，如果要在整个企业倡导一种激情的文化，是不可能利用个人的力量推动起来的。为此，如果要激活员工的激情就必须理解激情管理的内涵，因为激情可以将人们藏于内心的热情转化为动力，不断激发人们前行。所以，我们又将激情称之为'点燃理想的火种'，其推动作用之巨大，让管理者不得不另眼相看。自然，关注它、重视它、研究它，便成为当代管理的新趋势。”

不可否认的是，只有创业者具备永恒的创业激情，并保持创业激情，即使创业者面临艰苦卓绝的创业征程，也能百折不挠、不畏艰险，这样才能创业成功。

反观史玉柱的创业经历，在 1997 年，史玉柱经历了创业以来最黑暗的日子，他不仅经历了大起大落，还成为中国“首负”。然而，尽管史玉柱处于人生的低谷，但是仍旧满怀激情，坚信自己能重整旗鼓。

在面临挫折时，史玉柱不仅没有退缩，而且还在想办法争取再创辉煌。当史玉柱二次创业成功后，媒体的目光再次聚焦在史玉柱身上。

的确，史玉柱创造了一个奇迹，而这个奇迹的背后，竟然是史玉柱的创业激情，这才让他有了一个咸鱼翻身的机会。

史玉柱说：“创业前，很多困难都不会被认为是困难，当遇到的问题突然成为困难时，很多人会承受不了压力，就放弃了，这样的人一定不会成功。”

研究发现，许多创业者在创业时总是豪情万丈，这不是缺点，但还是需要激情，没有激情的人生是乏味的。对于任何一个创业者而言，需要具备永恒的创业激情，并把创业激情保持下去，这才是创业成功的关键因素。

在实际的创业中，有的创业者仅凭一时的冲动去创业，一旦遭遇困难，比如，应收账款收不回来，产品销售不畅等，这时创业者往往会放弃，其创业失败也就是难免的事情。因此，作为创业者，只有保持高昂的创业激情，当面对困难和挫折时，才能从容应对。

创业是一项失败率极高的活动。在创业的道路上，失败是难免的事情。在史玉柱看来，既然有成功就一定会有失败，作为一个曾经的失败者，史玉柱认为，失败让他学到了更多的东西，没有曾经的失败，就没有今天的成功。在创业的道路上，任何人都无法躲避失败，成功者之所以成功，很大一部分原因在于他们能够保持创业时的激情。

第四章
创业者要坚强点　没有过不去的坎

我曾经失败过，而且失败得轰轰烈烈，我觉得成功时总结的经验往往是扭曲的，但一个人失败时总结的教训那才是真的值钱的，所以我觉得，我还是有一些价值的，如果和他们交流，我更愿意谈我失败的过程和我的一些体会。

——巨人创始人　史玉柱

创业就要敢于直面失败

2013 年 4 月，一个重磅炸弹一样的信息被媒体传开，商界领袖人物史玉柱向外界宣布自己“金盆洗手”、彻底退休，把巨人的舞台让给年轻的领导者。当史玉柱告别企业经营的江湖后，他的主营业务是玩，副业是搞些公益，尽显“无事一身轻”。当然，这也意味着在企业竞争的刀光剑影中，又隐退了一位颇具个性和传奇色彩的大佬。

“哥”已退出江湖，可江湖还有“哥”的传说。回顾史玉柱的创业历程，从一无所有到亿万富翁，再从亿万富翁到一无所有，最后又从一无所有到亿万富翁，他是一个著名的“东山再起”者，他创造了一个中国乃至全球经济史上绝无仅有的传奇。

面对媒体的评价，史玉柱说："我真是一个屌丝，屌丝就是把人的心态降低，人的心态降低更容易活得开心，你把自己摆在很高的位置，你会活得很累。"

在史玉柱看来，尽管自己经历过大风大浪，但依旧喜欢以屌丝自居。客观地讲，史玉柱是一位传奇人物，在史玉柱的创业人生中，正是具有敢于越挫越勇的精神，才使得史玉柱东山再起，最终完成翻盘，迈入成功的殿堂。

对于任何一个创业者而言，失败的经历往往能给创业者提供创造更大成就的机会。当然，这就要求创业者能够敢于直面失败、正确地面对失败，从而更好地创造更大的成就。当"巨人大厦沦陷"后，史玉柱成为一个名副其实的中国商史上的失败案例。但是史玉柱敢于直面失败，从来就没有避讳过。失败后，史玉柱在反省问题。据史玉柱回忆说，他最爱看的一本书就是《太平天国》，因为看这本书可以研究太平天国为何失败。

面对失败，史玉柱坦言："我曾经是一个著名的失败者，我害怕失败，我经不住失败，所以只能把不失败的准备工作做好。"

在史玉柱二次创业的过程中，他正确地对待失败，提前把不失败的准备工作做好。当巨人网络在纽交所成功上市之后，史玉柱面对记者的采访时曾坦言，这些成就都归结于自己的失败经验。

史玉柱回忆当初的失败经历，尽管有些苦涩，但是他却依然展现出乐观、积极向上的心态。史玉柱表示，只要自己想想光明的前途，自然也就不会再想放弃了。

当记者问史玉柱"是如何在失败中站起来"的问题时，史玉柱回答说："之所以能够站起来，靠的是压力，而非信念。"

正是凭借着这样的理念，史玉柱的"巨人"得以涅槃重生。史玉柱曾在中央电视台《赢在中国》栏目评点时强调："在西方人眼中，只要你是一个创业者，如果你失败过，就会学会东西。美国这些基金投资人非常欣赏我以往的经历，他们觉得有失败经历，才敢给你投钱。"

当初的副手、如今已是巨人网络 CEO 的刘伟认为，史玉柱能重新爬起来主要有三方面原因："特别勤奋、心无旁骛、坚持不懈。"

失败时的总结才是深刻的

从史玉柱的创业经历中，我们看到，正是在成功和理想驱动下的百折不回的创业精神和永无止境的探索与奋斗，使他从平庸中崛起，从失利与逆境中重新奋起。作为企业家的史玉柱带给我们关于创业精神缔造财富神话的诸多思考。[①]

在史玉柱的第一次创业中，其失败的罪魁祸首归咎于巨人投资的重大失误，其主要原因就是那座名噪一时的、曾经号称中国大陆第一高楼（楼高 70 层）、涉及资金 12 亿元的巨人大厦。

尽管过去了 10 多年，时至今日提到巨人大厦，仍然有人评论说，巨人大厦是史玉柱第一次创业中的一个重大投资失误。

在这些评论者看来，史玉柱根本没有 12 亿元周转资金的实力修建中国大陆当时最高的大厦。

不过，当我们研究时发现，更让评论者瞠目结舌的是，巨人大厦从

① 张映红：《史玉柱：创业精神缔造财富神话》，载《证券日报—创业周刊》2007 年 10 月 26 日。

1994年2月动工到1996年7月，史玉柱竟然没有向银行申请过一分钱贷款，他完全凭借自有资金及销售楼花的资金支持巨人大厦的修建，竟将银行贷款搁置一边。

而史玉柱的自有资金，就是曾经令巨人风光一时的生物工程和电脑软件产业，但谁都知道，以巨人在保健品和电脑软件方面的产业实力根本不足以支撑70层巨人大厦的建设，当史玉柱把保健品和电脑软件产业的生产和广告促销的资金全部投入到大厦时，巨人大厦便抽干了巨人产业的血。①

1996年11月，史玉柱在接受媒体采访时公开承认“巨人”在经营上的失败，大胆提出了“重新创业”。史玉柱认为，“巨人”自从1995年下半年开始，企业的状况非常不好，已经进入了谷底。当巨人进入健康产业之后，却交出了上亿元的学费，由于“巨人”内部存在组织涣散、管理不力、干部无责任心、部门之间相互推诿等问题，造成直接经济损失每月高达几百万元人民币。而巨人一直倚重的保健品业务因为其自身问题使得经营困难，这就使得巨人集团的资金链终于断裂。

到1997年年初，有人这样描写“巨人”说：“跟随债主而来的是记者，跟随记者蜂拥而至的是更多的债主，在新闻媒体连续40天的轰炸后，史玉柱将自己封闭在帷幕低垂的总裁办公室内，仿佛陷于一座孤岛。他在那里到达了事业的顶峰，又从那里跌下来。他尝到了极度的辉煌，这才发现自己是如此的孤独。”1998年1月，巨人集团资产债务呈冷冻状态，情况是2.5亿负债和资产2.2亿（包括1.7亿的巨人大

---

① 史玉柱：《失败是金》，载《中国经营报》2002年1月14日。

厦和5000多万的巨人办公楼）。[①]

然而，这个曾经写就IT企业神话般传奇故事的青年人，并没有放弃创业的初衷，仍在顽强地拼搏。"巨人"垮了以后，他离开了珠海，几乎跑遍了全国各地，四处考察，站在青藏高原，还去爬了珠穆朗玛峰。面对如此的惨败，他从来没有打算过放弃，并发誓一定要东山再起。[②]

当东山再起的史玉柱成功后，他在接受媒体采访时强调："作为我们曾经失败过、至少有过失败经历的人，应该经常从里面学点东西。人在成功的时候是学不到东西的，人在顺境中，在成功的时候，沉不下心来，总结的东西自然是很虚的。只有失败的时候，总结的教训才是深刻的，才是真的。"

而新华社发表评论文章称："失败有两种，一种是事业失败，一种是精神上的失败。很多企业在事业失败以后，精神上也败了。但巨人在事业上失败后，精神不败，所以可以站起来。"

当媒体问及史玉柱如何评价自己的失败时，史玉柱是这样回答的："我是一个著名的失败者。现在回过头来想想，我觉得我人生中最宝贵的财富就是那段永远也无法忘记的刻骨铭心的经历。段永基有句话说得特别好，他说成功经验的总结多数是扭曲的，失败教训的总结才是正确的。"

民生银行自2012年9月份开启的新一轮上涨令股东赚得盆满钵满，时任巨人集团董事长兼CEO的史玉柱通过此前"扫货"民生银行浮盈近30亿元。

---

① 佚名:《史玉柱：失败是金》，见 http：//vip.book.sina.com.cn/chapter/8393/4746。

② 佚名:《史玉柱：失败是金》，见 http：//vip.book.sina.com.cn/chapter/8393/4746。

史玉柱回答媒体的质疑时说："人在顺利的时候，成功的时候就要胜不骄；在失败的时候就不要轻易服输。你有个不服输的劲头，再难的关都能过。所以我建议创业者在这个时候能坚强一点，没有过不去的坎，当然这也不是靠睡大头觉能睡过去的。"

史玉柱坦言："其实某种程度上，人遇到波折是好事。人在成功的时候，在顺利的时候，其实是学不到啥东西的。只有那些失败的时候，总结教训往往是深刻的，确实是受用的。"

史玉柱告诫创业者说："对过去成功的经验再好好总结总结，尤其是对失败的教训，下半夜夜深人静的时候你仔细想一想。想一想实际上对你有很大收获，比你看书更有用。因为有的书离你远，（而总结经验）那是看自己过去写的东西。"

2011 年 8 月 6 日，在优米网举办的"史玉柱时间拍卖发布会"上，史玉柱表示，自己的创业历程中，失败的故事远比成功的故事有价值，因为对他人可以起到警醒的作用。史玉柱认为，从这个角度来看，他的失败教训具有一定价值，也是他最"值钱"的卖点。

同时，史玉柱还就记者提出的投资理念、营销模式等问题进行了回答。史玉柱建议，对于没有把握的事，投资者尽量"不要投"，即便投资了，也要"少投"。谈及企业营销时，史玉柱指出，关键在于要生产出"好而负责"的产品，这也是企业做大并能持续发展的基础。

第二部分

商业模式比产品本身重要

我觉得像我们这样的创业，核心问题是精神的东西，物质上的东西是次要的。我说只有你具有精神上的东西，比如说你精神不倒，然后你的方式、方法又对了，至于那个物质上的东西是可以创造的，可以通过自己创造的。

——巨人创始人　史玉柱

第一章
赢利是创业企业最大的目标

你不赚钱就是在危害社会，对这个，我深有体会。我的企业 1996 年、1997 年亏钱，给社会造成了很大危害。当时除了银行没被我拉进来，其他的都被我拉进来了。我的损失转嫁给老百姓，转嫁给税务局。企业亏损会转嫁给社会，社会在补这个窟窿。所以，我觉得，企业不赢利就是在危害社会，就是最大的不道德。

——巨人创始人　史玉柱

企业不赢利是最大的不道德

在《家族企业长盛不衰的秘诀》培训课上，笔者问几个学员："企业的目标到底是什么？"这几个学员理所当然的回答是："企业的目标就是赢利。"

对于任何创业者而言，摆在其面前的头等大事就是赢利问题。如果没有持续不断的赢利来源，"做强做大"无疑是"南柯一梦"。

针对此问题，史玉柱在公开场合坦言："企业最大的目标是赢利，企业不赢利是最大的不道德。"

对于当年“巨人”的轰然倒塌给社会造成了不良影响这个问题，史玉柱强调：“企业的目标是赢利，企业不赢利是最大的不道德，当年的巨人垮掉的时候，是社会、是员工、是投资者在承担企业失败的恶果。所以，我反思自己今后运营企业，一定要遵纪守法，一定要规范，在法律许可的范围内做大家认可的东西。”

在史玉柱看来，企业赢利才是企业最大的使命。史玉柱说：“我觉得做一个企业，追求利润是第一位的。你不赚钱就是在危害社会，对这个，我深有体会。我的企业1996年、1997年亏钱，给社会造成了很大危害。当时除了银行没被我拉进来，其他的都被我拉进来了。我的损失转嫁给老百姓，转嫁给税务局。企业亏损会转嫁给社会，社会在补这个窟窿。所以，我觉得，企业不赢利就是在危害社会，就是最大的不道德。”

在当下，众多中小企业的倒闭，就是因为不能够持续赢利，史玉柱的观点值得中国许多创业者借鉴。

史玉柱的观点得到了中粮集团董事长宁高宁的认可。宁高宁说：“中国企业有社会责任，第一责任是把企业做好，只有在这个基础上，才可以去涉足其他责任，我希望中国企业真正的发展是做好了自己的全球竞争以后，再谈更多的对多元化目标的社会责任。如果说你的企业自身没有做好的话，今天谈社会责任，实际上对企业、社会都不利。”

在坚持“赢利是企业最大的目标”的同时，作为创业者，也必须坚持企业社会责任。只有处理好企业利润和企业责任之间的关系时，企业才能真正地生存和发展下去。原北京大学光华管理学院院长、经济学教授张维迎就撰文谈过此问题。

张维迎说：“一方面，在一个健全的市场制度下，企业追求利润、为客户创造价值以及承担社会责任之间，不仅不矛盾，而且是基本一致的。利润，是社会考核企业，或者说考核企业家是否真正尽到责任的最重要指标。没有这个指标，我们没有办法判断企业行为是损害还是帮助了社会。另一方面，在一个制度缺陷比较严重的社会中，利润可能不是考核企业行为的最佳指标。这时候我们应该想办法，使这个制度变得更好，使利润能够真正反映企业和企业家对社会的贡献，而不是抛开对社会制度的变革，用说教的方式解决这个矛盾。”

不管是史玉柱、宁高宁，还是张维迎，都在强调一个问题，那就是作为企业经营者必须清楚，企业的首要职能首先是经营好企业本身。在不违法的情况下，解决好自我“造血”的问题，才是生存的第一步，在能够生存之后，实现自身资产的增值、企业的持续发展仍为他们的头等大事，我们不能以要求慈善机构的标准来要求企业如何“道德”。[①]

不可否认的是，一旦企业不赢利，要负担社会责任无疑是“水中月”。中国人的舆论，有时确实存在某种过于道德化的倾向。然而，史玉柱的聪明，在于他懂得中国人的心理并深谙国情，用“农村包围城市”和实用主义的广告攻势占领市场，而相应的，他依然受到这个环境的特殊的道德追问。他必须在生存、发展和道德形象方面掌握平衡。[②]

赢利是企业的头等目标

对于任何一个企业而言，一旦不赢利，就没有存在的必要。众所周

①《史玉柱：企业不盈利不道德》，2013 年 12 月 1 日，见 http：//finance.sina.com.cn/leadership/mroll/20110818/153910339475.shtml。

②《史玉柱：企业不盈利不道德》，2013 年 12 月 1 日，见 http：//finance.sina.com.cn/leadership/mroll/20110818/153910339475.shtml。

知，企业一直不赢利，无疑企业就会倒闭。

可以肯定地说，企业赢利才是企业经营者最高的价值体现。当然，这里所说的企业赢利，必须是以企业的合法经营为前提的。

如果一些企业经营者整天满脑子都是宏伟大业，却忽略了企业赢利这个根本。这其实是一种本末倒置、舍本而逐末的做法。

针对这样的问题，史玉柱发表了自己的看法："利润肯定是要追求的，主要是当作一个事情来做。作为一个企业，对社会贡献最大的就是创造利润和纳税。企业亏损是要危害社会的，我的企业曾危害过社会，不能再继续危害，所以利润是很重要的。"

在史玉柱看来，自己曾经是中国最著名的"失败者"之一，因计算机软件和保健品快速起家，却败在巨人大厦的项目和管理等问题上，一夜之间负债 2.5 亿元。如果巨人集团的每个项目都持续赢利，他也不至于成为中国"首负"。

然而，失败之后的史玉柱深刻反省。在第二次创业中，他毅然把赢利作为企业的经营目标，从而实现了从"失败者"向亿万富翁的"大逆转"，重新回到了成功企业家和亿万富翁的行列。如今，他的巨人网络公司已经在美国纽交所上市。此外，他还频频涉足投资领域，2011 年 6 月，有消息称史玉柱 4 个月斥资 26 亿元人民币增持民生银行。截至 2011 年 7 月 10 日，史玉柱投资的新华联两年净赚 3.8 亿元。[①]

在史玉柱的创业历程中，尽管他已功成身退，但是这样的成就必须是建立在企业赢利的基础之上的。就像当初因为建造巨人大厦而使得巨人集团资金链断裂一样，不再赢利使得史玉柱的第一次创业宣告失败。

① 佚名：《史玉柱：企业不盈利不道德》，见 http：//finance.sina.com.cn/leadership/mroll/20110818/153910339475.shtml。

而东山再起的史玉柱之所以能够成功，是因为史玉柱的企业建立在赢利的基础之上。史玉柱的观点值得创业者借鉴，只有企业获得了大的利润，才可能践行社会责任。

对此，史玉柱说："我们的税收连续 3 年都超过了两亿（元）。我的基本态度是这样的：能争取国家的优惠政策，尽一切可能去争取。但在这个基础上，我给财务的规定是不准偷漏一分钱的税款，这样至少会保证公司不出现大的问题。"

正当史玉柱的企业稳步发展时，一些营销专家和教授多次点名批评史玉柱"收礼只收脑白金"的广告。而后，史玉柱又进军网络游戏，于是营销专家和教授便开始怀疑史玉柱的道德底线。

针对这个问题，史玉柱回答说："商业和道德能放在一起吗？商业是什么？商业的本质就是在法律法规许可的范围内获取最大利益，我是一个商人，做的事情就是在不危害社会的前提下为企业赚取更多利润。要一个商人又要赚钱又要宣扬道德，那不是商人，而是慈善家。企业的目标是赢利，企业不赢利是最大的不道德。当年的巨人（集团）垮掉的时候，是社会、是员工、是投资者在承担企业失败的恶果。所以，我反思自己今后运营企业，一定要遵纪守法，一定要规范，在法律许可的范围内做大家认可的东西。"

在史玉柱看来，经营企业必须遵纪守法。在遵纪守法的前提下，赢利就成为企业经营者绕不过去的话题。

当媒体批评史玉柱所言的"赢利是企业的头等目标"时，史玉柱回答说："我以前也挺在乎（外面对我的评价）的，摔过一次跤以后，我开始对外面的评价不在意了。以前别人怎么看我、怎么看巨人，好像还是一个很重要的事情，现在我觉得不是很重要了。媒体，包括写书的作者并不能代表真正的民意，我不是太在乎他们怎么说。另外，在 1997

年我最困难的时候，骂我的人比现在多很多，那样骂过来一轮之后，我的抵抗力就很强了。（舆论上的一些东西）对我帮助不大，威胁也不大。最近几年，我做事做得很少，你想抓我的把柄也不容易抓到。”

史玉柱的观点是值得思考的，在遵纪守法的前提下，只有企业赢利，才能为社会做更多的贡献。要想使得企业更好地发展，追求利润就成为一个企业必须面对的问题。当企业赢利后，就必须真正地以为社会创造财富、促进生产力的发展为前提。

第二章
过高的创业目标是危险的

我后来发现宏伟的目标是很可怕的，必然会违背经济规律，会让自己浮躁，让企业大跃进。

——巨人创始人　史玉柱

不切实际的宏伟目标是非常危险的

在创业的道路上，曾经有许多创业者因为制订一些宏伟的目标而无法完成最终导致企业倒下。

在成千上万的失败创业者中，错误的不切实际的所谓“宏伟”的目标有可能毁掉你苦心经营的一切，史玉柱就是其中的一个。众所周知，“巨人”的倒塌就是为“宏伟目标”所累。

在一次访谈中，史玉柱说：“我后来发现宏伟的目标是很可怕的，必然会违背经济规律，会让自己浮躁，让企业大跃进。”

在史玉柱看来，只有制订符合企业实际的目标，才能保证企业的生存和发展。一旦制订的目标过于宏伟，甚至不切实际，那么必然会酿造一个巨大的悲剧。可以肯定地说，只有制订切合实际的目标，才能成就一个企业的未来。

在1997年史玉柱遭遇第一次失败以前，不切实际的宏伟目标时刻都是存在的。在当时，史玉柱非常热衷于宏伟收入目标的制订。史玉柱回忆说："对自己任何一个时间都定了一个目标，一个很宏伟的收入目标。"

史玉柱制订宏伟的收入目标的依据是："企业有几种，一是安定的；二是追求眼前利润的；三是追求长期利润的；四是（既）追求长期利润（又追求）社会效益和规模效应，这种企业是三者相互推动的，社会效益和经济效益存在着必然的联系。"

对于高歌猛进的史玉柱而言，自己期望的巨人集团，显然属于第四种企业。为了实现自己的愿景，史玉柱为巨人集团制订了一个非常宏伟的目标——"百亿计划"。

在这个"百亿计划"中，史玉柱的期望是，到1996年，巨人集团产值要达到50亿元；到1997年，巨人集团产值要达到100亿元。

在史玉柱看来，一年一大步，一年上一个新台阶的"百亿计划"可以让巨人成为东方的"IBM"。据资料显示，在制订"百亿计划"之前，史玉柱制订的目标是，到2000年，巨人集团的企业资产超过百亿元。

在"百亿计划"制订之后的1995年，史玉柱为了配合这个宏伟而庞大的近似于神话般的"百亿计划"，启动了"三级火箭"，把巨人集团研发的12种保健品、10种药品、十几款软件等产品一起推向市场，同时配合产品的推出，共投放了1亿元的广告。史玉柱提出，要在一个很短的时间里把企业迅速做大，超过首钢和宝钢。

资料显示，史玉柱启动的"三级火箭"，其实就是一个为了完成"百亿计划"而制订的实施步骤。在启动的"三级火箭"中规定（见表2-2-1）：

表 2-2-1 完成百亿计划的“三级火箭”

（1）	在整个“三级火箭”中，“第一级火箭”实际上就是巨人集团第一年的一个发展规划。在这个发展规划中，其具体实施方案是这样的——巨人集团主要以“脑黄金”进行市场导入和测试，同时培训和锻炼巨人的队伍。当然，史玉柱有自己的盘算，这取决于巨人集团第一阶段的成功。事实上，作为初期成功转型的巨人集团已经证明了自己在保健品行业的实力。为了完成“百亿计划”，巨人仍然需要积累更多经验和扩大、培训、锻炼队伍，这样才能保证巨人的品牌影响力顺利地从电脑产品延伸到保健品领域来。
（2）	在这个“三级火箭”中，第二年非常关键，因为这是“三级火箭”的第二级。这不仅关乎“百亿计划”的完成，而且还影响着巨人集团未来的生存和发展。在史玉柱看来，“三级火箭”的第二级目标是，在第二年，巨人集团将实施“规模化”的发展战略。在“三级火箭”的第二级阶段的主要任务是，双重扩大巨人集团的产品规模和市场营销规模。为了完成这一攻坚阶段的目标，史玉柱把“速度”作为巨人集团的重点。史玉柱要求，巨人的保健品产品规模尽可能做到日化巨头宝洁那样拥有大而全的事业部。
（3）	在这个“三级火箭”中，“三级火箭”的第三级就是第三年的发展规划。在史玉柱的规划中，巨人集团的未来发展，首先是实现“没有工厂的实业，没有店铺的商业”，将第二级的计划进行体系上的规范和完善，整个体系良性运作。其次是要进入连锁经营领域。最后是要进入资源领域。

从表 2-2-1 可以看出，史玉柱希望凭借自己的“三级火箭”理论将巨人集团打造成一个类似世界 500 强、日化品牌巨头宝洁那种经营品牌的企业。而巨人集团经营的一系列产品，并不是巨人集团自己生产的，而是由其他的企业做代工，即“没有工厂的实业，没有店铺的商业”集团。在渠道建设方面形成了传销和连锁两种方式为主导的网络。

在实际的运作中，史玉柱把原计划 6 年才可能完成的计划压缩到 3

年之内完成；在实施步骤上，他把三步并成了两步走（把第一级火箭和第二级火箭一起实施，在 1995 年全面启动）。

遗憾的是，在“三级火箭”理论和巨人集团的现有资源上，史玉柱没有把握住均衡，目标与现实之间的差距实在是太远。过度地追求目标，以求快速地发展，在刚学会走的时候，就想要跑，其结果就只能是“跌倒”。[①]

一个口号曾让史玉柱摔得很惨

在很多场合下，史玉柱曾告诫创业者说：“我害就害在很虚的口号上面，我给自己莫名其妙地背了沉重的包袱。”

在史玉柱看来，在创业的道路上，制订合理的、切合实际的目标对于成功创业是事半功倍的。然而，要是制订了一个口号式的目标，那么不仅会增加创业的难度，甚至还有可能将企业引向万劫不复的深渊。

在中央电视台财经频道《赢在中国》第三赛季晋级篇的第六场，该场创业选手之一的余维江，男，生于 1972 年，大学专科学历。在该场中，余维江期望自己的参赛项目能够成为中国移动电源行业的领航者。余维江是这样介绍自己的创业项目的：“关键时候，你的手机、数码相机、笔记本、掌上电脑等没有电了怎么办？这时候就需要一个移动电源，它可以为这些设备随时充电。公司拥有十几项专利技术。2007 年，实现

① 徐宪江：《富人不说，穷人不懂：50 位亿万富豪白手起家的赚钱哲学》，古吴轩出版社 2011 年版。

销售额 480 万美元。正在努力打造行业第一品牌。”

在创业大师们的询问中，选手余维江的回答有点口号式。尽管余维江的项目有其市场空间，但史玉柱却告诫余维江的目标过于口号式。史玉柱点评说：

我给你提两点建议。第一点你不要提“中国第一”这个口号。提这样一个口号某种程度上对一个刚起步的企业来说，不是好事。我过去也提过这个口号，当时我说我要做中国的 IBM、中国的第一，但最后我摔得很惨。现在，回过头来看，那个东西是虚的。你一旦提了这个口号，就会有一些不切实际、原本也不应该有的压力。我害就害在很虚的口号上面，我给自己莫名其妙地背了沉重的包袱。对你来说，把眼前该做的事做好，比如科研、生产、销售等方面做好，做得比别人强，到时“中国第一”自然是你的，跑也跑不掉。即使你哪天第一了，也要让别人去说，自己心里也坚决不能把自己当第一。

第二点建议，是关于你在西安试销的问题。现在你的资金实际上挺紧的，所以还谈不上进行大规模的品牌建设。你准备产品上架搞试销，这个思路是对的。但我建议你不要选择在西安试销，应该选择二三级城市，比如在延安、咸阳、榆林等地搞试销。在这些地方试销相对容易，也容易取得销售额。有了资金，你再选择比较大的城市，这样的成功率比较高。另外，你还要注意团队建设和商业模式建设。①

①《赢在中国》第三赛季晋级篇第六场，中央电视台财经频道。

史玉柱给选手余维江的两条告诫，还是源于史玉柱曾经提出的“口号式目标”。史玉柱在1998年撰文回忆说：

> 巨人集团的产值目标可谓大矣：1995年10亿元，1996年50亿元，1997年100亿元。然而目标越大风险越大，如果不经过科学的分析论证，没有必要的组织保证，（那么结果）必然（是）损失惨重。我后来发现定很高的目标是很可怕的，必然会违背经济规律，会让自己浮躁，让企业大跃进。回过头想想，巨人那几年确实乱得很。现在就没有那么大的口号了，现在的目标就是把能够影响结果的每件事情做到最扎实、最透，把最下面的事情做到最好，公司不定定量的指标，把工作做到最好就行了，从过去这两个公司的成功来看，这样的方法的确是最有效的，结果往往（也）最好。[①]

然而，史玉柱在经过口号式目标的打击后，坎坷和挫折让他认识到巨人集团曾经的企业文化本身就存在着诸多问题。在10多年前，巨人集团总提很多口号式目标，如“我要做中国第一大”、“东方的IBM”等。

史玉柱回忆说：“本来是想激励员工，事实上最后却把自己也给骗了，自己都以为自己就是老大了。”

在口号式目标上栽了大跟斗之后，史玉柱一改往日的作风，不再给自己制订不切实际的战略目标，特别是口号式目标，同时也不把资产、销售额、利润这些作为他的目标。

史玉柱说：“巨人现在不给自己定战略目标，我觉得制订目标对

---

① 史玉柱：《我的四大失误》，载《中国乡镇企业》1998年第8期。

企业反而是件坏事。因为定了长远的目标就要不断分解到每年的任务上，如果定得不高无所谓，而太高则会打乱原先的计划，形成欲速则不达的局面。战略上不考虑，但在战术上每件事都要做好，比如投入产出比，我们追求的是最大化。企业发展能做多大就多大，听天由命，不必强求。”

在史玉柱看来，制订目标时必须切合实际。史玉柱说：“1997 年对我来说是一个转折点。”在 1997 年以后，史玉柱就不再像 1997 年以前那样动辄给自己定一个量化的目标，然后再分解到每月、每周、每天。

1997 年以后，在制订目标时，史玉柱的原则是：定性而不定量，将一个目标分解成很多的决定性因素，一件一件地去解决。

资料显示，史玉柱在经历了巨人大厦的失败之后，他在管理企业方面就做了一些改变，不再下达具体的经营指标。可以说，对于曾经要做中国的 IBM、中国的第一的史玉柱来讲，的确是一个很大的改变。

可能读者会问，为什么不下达具体的指标？史玉柱的解释是：“指标定得低，员工就没有挑战性，奋斗含义就缩水；指标定得高，完成不了，就成了口号和空话，更是管理大忌。”

在史玉柱看来，制订目标时要尽可能地定性而不定量。史玉柱说：“把每件事做好。如网游，影响网游这个项目能不能成功的因素，我分析了（有以下）十几个环节，从策划、研发、美术、运营、售后服务、分公司建设、管理、对外宣传，我的目标是把所有环节都做到极致。”

没有了具体的经营目标，史玉柱是如何维系团队的奋斗向上的呢？或者，如何保证企业向前的发展呢？

史玉柱面对这个问题时的做法是，定目标不如定完成目标所需要准备的事项和实现的步骤。这诚然有遭遇失败之后个人心里惶恐的元素，但更多的是其缜密论证的具体表现，但这种缜密的思维、小心论证的习惯，一直都在大众和传媒人的视野之外。[①]

在研发《征途》时，正是史玉柱采用这种不定目标、缜密论证、步步推进、一咬到底的战略转变，使得《征途》赢得了消费者的认可。当《征途》第一次开放内部测试，同时在线人数达到2000人的时候，征途团队欣喜若狂，因为史玉柱没有告诉他们，《征途》一定要做成同时在线人数达到100万的游戏。而现在，《征途》同时在线超过100万已经有好几个月了。[②]

---

① 翁宝：《史玉柱的偏执》，载《理财周报》2007年第8期。

② 翁宝：《史玉柱的偏执》，载《理财周报》2007年第8期。

第三章
商业模式比产品本身重要

我觉得这款游戏目前来看是能成功的，而且很可能会有很大的成功。基于两方面，一个是它的商业模式，刚才纪学锋介绍了一下商业模式，第一代商业模式是靠时间收费，交了钱买了时间来玩。道具是玩家最重要的追求，道具是平均分配的，分配到所有玩家那里，他们之间也许会进行交易，整体来说更公平一些。第二代商业模式是不用花钱就能来玩，但属性高的道具需要向系统购买，会使很多玩家来玩，缺点是钱多的人属性高，客观上跟第一代比起来显得有一些不公平。

——巨人创始人　史玉柱

没有摸透商业模式，就不要盲目行动

对于任何一个创业者而言，摸透商业模式是非常重要的。如果没有摸透商业模式就盲目行动，那么有可能遭遇发展瓶颈。

在中央电视台财经频道《赢在中国》第三赛季晋级篇第四场上，创业选手刘剑锋，男，30岁，北京，硕士，他的参赛项目是，企业秘书信息服务平台。刘剑锋是这样解释自己的创业项目的：“目前正在筹建新的公司，目标是为中小企业的运营管理提供成熟的解决方案，利用软件帮助秘书优化工作和提高工作效率。”

当史玉柱问完刘剑锋的问题后，依据自己的创业经验，史玉柱对刘剑锋做了如下点评：“16号（刘剑锋）我要对你说的最负责的一句话就是说你赶紧把这个公司关掉算了。我觉得你这样再烧50万（元）不合算，因为我觉得有两个问题，一是商业模式问题，我觉得你并没有研究透；二是我觉得你本人还不具备作为一个主导人物去创业的能力，我觉得你还需要历练。”

史玉柱告诫刘剑锋的依据是，刘剑锋的商业模式有问题，史玉柱觉得，刘剑锋并没有研究透“商业模式”，从而建议刘剑锋不要盲目行动。

在2011年3月30日下午，上海巨人网络“第三代网游商业模式暨《征途2》内测”发布会现场，时任巨人网络董事长兼CEO的史玉柱为网友解读了第三代网游商业模式，以下是史玉柱的讲话内容[①]：

> 欢迎大家来到我们巨人的园区，我们第一次接待这么多客人，园区还没有建完，（正）在努力的完善中。
>
> 今天是我们《征途2》正式内测的新闻发布会，今天我首先给大家介绍一下我了解的《征途2》以及这个团队。《征途2》刚立项的时候我内心真的不看好，我有什么想法他们都给我顶回来了，后来我就让他们自己做了。但是近期收集到的资料和数据，主要是市场调查的数据，还有游戏的玩家反馈意见，以及我们在线人数、收入状况，各个方面看，这款游戏还真有可能有戏。它的各项数据已经反映在同行里，在新产品里面，应

① 史玉柱：巨人网络“第三代网游商业模式暨《征途2》内测”发布会。

该是和第二名、第三名产品的差距很大，相当于第二名到第九名的综合。为什么数据这么好呢？我前不久进去玩了一下，感觉确实跟我原来想象的不一样，我觉得这款游戏目前来看是能成功的，而且很可能会有很大的成功。

基于两方面，一是它的商业模式，刚才纪学锋介绍了一下商业模式，第一代商业模式是靠时间收费，交了钱买了时间来玩。道具是玩家最重要的追求，道具是平均分配的，分配到所有玩家那里，他们之间也许会进行交易，整体来说更公平一些。第二代商业模式是不用花钱就能来玩，但属性高的道具需要向系统购买，会使很多玩家来玩，缺点是钱多的人属性高，客观上跟第一代比起来显得有一些不公平。

后来我们在《征途 1》的基础上一直往前走，走到一定程度觉得必须要有革命了，便创造了第三代商业模式，第三代网游商业模式其实非常简单，即第一代商业模式的公平性加上第二代商业模式的低门槛，其实就这么简单。其实刚才没必要花时间说那么多。这个至少现在市面上没有同类产品，的确称得上是第三代。

第二就是《征途 2》在一些细节上精益求精，聚焦聚焦再聚焦，我觉得充分体现了企业文化，每个功能都要做好，尽管现在还有很多缺陷，尤其是 120 级以上还有待完善。但 120 级以下已经优化得非常到位，我看玩家评价是非常高的，确实是长江后浪推前浪。基于这两点我对这个游戏非常有信心。下面我介绍一下这个团队。

这个团队可能是目前在网络游戏领域里最强、最能打硬仗的团队，因为我也喜欢熬夜，有时候我从办公室下班的时候，我路过他们（办公室），从走廊里看，他们过去两年半，包括没搬来之前，他们团队一直在拼搏，一周一般工作 6 天，晚上 12 点我打电话过去还有人。这个团队就是这么拼过来的，我觉得这点非常好。这个团队领头人是纪学锋，纪学锋算是我唯一的一个徒弟了，但这个徒弟我对他评价并不高，不孝徒，不懂得尊敬人，他对下面很尊敬，他对部下很好，大家加班他会端茶倒水；但对领导不好，作为一个硕士生，老爱带着口头禅“老子老子”的，而且爱跟领导说。我跟他矛盾其实还是挺多的，我们公司好像是有这个习惯，下级对上级好像不如上级对下级友好。在这个气氛下，我也习惯了，所以我一直想辞 CEO，最后达到一个协议，如果《征途 2》能有 60 万人在线，我就辞 CEO 了，我不伺候这个爷了。当然争取给我一个首席玩家的身份或者首席体验官的身份，如果给我这个我更开心了。

我们拭目以待，看能不能到60万在线。我现在要等着结果。对于《征途 2》的推出，我觉得在我们行业还是很有意义的，毕竟是一个全新的商业模式出来了，这两年，免费模式也的确被大家都普遍采用了，免费模式推动行业的发展已经没后劲了，我很希望看到第三代网游商业模式能推动整个行业的发展，如果这个行业能靠这个模式从 300 亿（元）推到 1000 亿（元），我们大家皆大欢喜。这个模式说得简单，别人想起来也不是那么容易，比如免费模式，免费模式不是我们想的，我们却是第一个做。免费模式是韩国人先做的，只是没有做大，后来我们研究了他们的模式，我们觉得很科学，就埋着头做，做出来快要公布的时候，陈天桥知道了，他突然宣布我们《传奇》要用免费模式，是计划用免费模式，所以我们落后了。这次我们希望记者都来了，咱们第三代网游商业模式还是别报道了，一报道让陈天桥知道了又说是他的。

关于这个游戏，我们仍然一如既往，尽管外面说我们没有社会责任，但我们很有责任，我们成立第一天开始就不允许未成年人进入我们的游戏，同样这款游戏也是不允许未成年人注册。我去《征途 2》玩的时候设置也很好，玩了两个小时，你该获得的东西基本都获得了，当天的，如果还想接着玩，收益率在大幅度下降，这个设置也是不错的，未成年人不准进来，成年人不要沉迷，希望我们能对社会做点贡献，而不是外界认为的我们有什么道德问题等。只要我们自己做好，我们就心安理得，这款游戏我们也会在这方面继续坚持我们的一些原则，就是我们公司成立的时候所定下的原则。

在史玉柱的商业模式探索中，《征途 2》是史玉柱解读第三代网游商业模式的一个载体。在商业实践中，对于任何一个企业而言，应对不确定的未来，最佳商业模式最根本的出路就在于创新。

在史玉柱的创业之路上，他明白了商业模式的重要性。在 10 年以前，史玉柱运作脑白金时，他就明白了至今还有很多人不是很能接受的观点——商业模式的创新也许比产品本身更重要。对此，史玉柱的观点遭到诸多研究者的批评，如中国人力资源开发研究会理事李直曾批评史玉柱说："但是很奇怪，史玉柱过于追求商业模式，却很难看出他的商业理想。"比如，在"脑白金"的说明书中写道："人体的司令部是大脑，大脑的总司令是大脑中央的 PINEALGLAND（部分说明书称其为'脑白金体'）。其分泌物为脑白金，它控制着人体的衰老程度。"然而，《南方周末》记者的在经过调查后发现，"脑白金"的主要成分只不过是褪黑激素。《南方周末》的这篇质疑报道立刻引起了中国其他媒体的关注。面对危机，史玉柱沉着应对，三个月以后，“脑白金”这个产品销售奇迹般地稳步回升，销售继续上涨，广告继续投放。

脑白金的成功，当然不离开史玉柱精心设计的商业模式。从这个角度来看，史玉柱所运营的项目与其说是在卖产品，不如说他一直是在卖概念——脑白金是在卖健康，黄金搭档是在卖聪明，《征途》是在卖权力与欲望。

我们不用去推敲脑白金是否真能给人带来健康，黄金搭档吃了是否真能让人聪明，但是，作为一个概念，或者说是给消费者制造的梦想是足够吸引人的。换一种说法，我们甚至可以说，对于史玉柱来说，卖什么产品并不重要，他卖的实际是一个概念，或者说是一个给消费者描绘的梦想，而产品只是这种梦想的物质依托罢了。

在《征途》游戏中我们能称王称霸，但是，作为一个概念，或者说是给消费者制造的梦想是足够吸引人的。换言之，只要是正确的商业模式，经过不懈努力就一定能创造价值。

商业模式搞对了，效益就会很快上来

在中国，不管是媒体还是研究者，对史玉柱的看法始终是仁者见仁、智者见智。尽管争议不断，但是无论怎样，史玉柱凭借其“起—落—起”的传奇经历和奇招百出的商业运作模式让无数的创业者倾倒，甚至将其奉为偶像。

客观地讲，史玉柱的商业奇才是无人否定的。不管是在营销方面，还是在商业模式方面。史玉柱都有其独到的见解。

在中央电视台财经频道《赢在中国》36 进 12 的最后一场中，史玉柱对 20 号文亨利的点评依然延续其一贯简洁明了、一针见血的风格。

史玉柱点评说："20 号，你的商业模式还有改进的余地，不然不止每个月 30 多万（元）的营业额，实际上商业模式要是搞对了，效益是很快上来的，特别是互联网，所以建议你再好好研究你的商业模式，把它更完善。"

在中国，某些企业的成活率不高、成长不快、业绩不稳定，究其根源就在于缺乏成熟的商业模式。假如每个企业都能够重视商业模式的设计和再造，都能够重视培养打造自己的核心竞争力，一定会赢得更长远的发展。

在中央电视台财经频道《赢在中国》第二赛季晋级篇的第八场中，本场创业选手周汉东，男，出生于 1978 年，大学本科学历。他的参赛项目是经营为狗找对象的网站。周汉东是这样介绍创业项目的："花最短的时间和最少的钱为狗找到合适的对象，它是全国第一个宠物婚配市场，第二个宠物认证市场，目的是为打造中国最权威的血统认证。"

对于周汉东的创业模式，史玉柱的点评如下："我觉得你存在两个问题。第一是盈利模式问题，这是你的重中之重。你必须找到你的盈利点，现在你自我感觉盈利点比较好，但预测和实际毕竟有差距。我觉得你的当务之急是要以最快的速度把自己的盈利点做起来，形成规模。第二，你本人很年轻，阅历不够，还需要在社会大学里摔打，不断提高自己。"

研究发现，缺乏成熟商业模式的创业者举不胜举。在北京，一个名叫李宏的创业者问过史玉柱一个问题："经过几年的发展，我的企业依赖媒体创新的方式已经创造了 7000 万元的赢利，这是我过去奋斗数年希望达到的目标，但达到这个目标后我发现一个问题：现在我面临一个门槛，我在该产业里的市场份额基本上已经饱和了，很难再有所超越，越往下走越困难。我想问史总，如何跨越这个门槛？您是否遇到过与我相同的问题？是否应该考虑在商业模式上要做相应的调整、延展？此外还有什么途径？”①

面对李宏的问题，作为巨人创始人的史玉柱回答得非常中肯。史玉柱是这样回答的：

> 非常高兴能够通过《创业家》杂志这个平台与你交流。
>
> 首先，我想商业模式上的延展是能够推动一个市场发展的，你所在的行业面临的是整个市场偏小的问题，如果能够找到更好的商业模式，或许可以很好地拓展你的客户群，这样可以为自己创造更多的销售额。
>
> 4年前，巨人网络进入网络游戏市场的时候，市场已经被几大家占据了大部分市场份额。但是巨人网络进入的时候，我们采取了免费模式——当时的网络游戏公司基本上采用的都是时间收费模式。由于商业模式的创新，我们不仅为自己争取到了很大的市场份额，同时也带动了整个市场的发展。
>
> 我们进入市场不到3年的时间，就在这个行业取得了应有的市场地位，同时，在巨人网络的带动下，一批国产网络游戏厂商崛起，现在整个市场已经是国产网络游戏主导。
>
> 我们现在也在进行商业模式的探索，因为我们觉得免费模

① 史玉柱：《唯有创新才有出路》，载《创业家》2008年11月4日。

式带动网络游戏市场高速增长的时候将要过去，我们要探索新的商业模式来带动企业的更高速发展。我想，巨人网络对商业模式的探索或许能给你一点启发。一个公司要想基业长青，它就必须在商业模式上不断地探索。

其次，如果整个产业的空间很有限，极大地限制了一个公司的成长，这个时候你可以考虑在另一个你熟悉的行业里再次创业。

如我之前做保健品业务，脑白金和黄金搭档的市场份额已经是保健品市场第二、第三、第四、第五和第六位的总和，而且其市场地位已经相当稳定，这个时候我就要考虑再进入一个我熟悉的行业。

当然，要进入一个新的市场，依赖于你有成熟的产品、很好的团队，不然你会顾此失彼。我进入网络游戏市场的时候，前提是我原有的团队已经足够可以管理好保健品业务，同时还可以分出一部分团队成员来进入网络游戏市场。

你也可以看到，“黄金搭档”那边的保健品业务现在还是牢牢地占据着市场第一的位置，其销售额年年创新高，同竞争对手的领先优势也在不断拉大。同时，巨人网络的网络游戏业务也已经是行业的领头羊。

当然，要进入一个新的行业一定要记住几点：这个市场是你熟悉的，你有好的产品、好的团队和足够的资源来支撑你的发展。

不过，现在美国次贷危机所导致的全球性金融危机正在逐步蔓延。就像诗人里尔克所言：“没有什么胜利可言，挺住意味着一切！”①

从史玉柱的回答中不难看到，初创企业要想赢利，就首先要找到赢利的商业模式。一个正确的商业模式，是提高初创企业效益的重要一步，甚至可以说，一个成功的商业模式能够使一个企业起死回生。

网络经济商业模式的核心在收费问题

事实证明，对于任何一个企业而言，其商业模式越简单越好，一两句话能描述下来的企业就是最好的企业。在史玉柱看来，不要为改变而改变，主要看改变的商业模式能提升什么样的价值。

在中央电视台财经频道《赢在中国》第二赛季晋级篇的第六场中，有位创业选手刘晓宁，男，30岁，来自山东，本科学历。刘晓宁曾在2003年创办一家互联网公司。他的参赛项目是“同城的网上购物，找我中文网”。刘晓宁是这样介绍创业项目的：“网上交易，同城配送，节省时间。如果说淘宝网是以商品价格和商品差异满足客户需求，同城的网上购物则是满足人们在本城的网上购物需求。不和淘宝网竞争，只是填补淘宝网的空白。”

当史玉柱问完他所关心的问题后，致力于网络媒体广告的刘晓宁相信互联网的春天很快就到了，但史玉柱对他的商业模式或者收费模式有所怀疑，史玉柱做了如下点评：“22号（刘晓宁）你的核心问题还是

① 史玉柱：《唯有创新才有出路》，载《创业家》2008年11月4日。

商业模式问题，商业模式的核心又是一个收费问题。现在你在潍坊已经有了很强势的资源了，但是你的收入和你的点击率不成比例，有很大部分的服务，你收不到费。你应该在收费模式上有所突破，一旦收费模式突破了，公司的日子就会好过了。网络经济很大部分取决于商业模式，我建议你多琢磨收费模式的问题。在商业模式的问题上，不要为改变而改变，主要看改变的商业模式能提升什么样的价值。”

2005 年 10 月 20 日，上海征途网络科技有限公司在其官方网站上低调宣布永久免费运营，并以此作为吸引玩家的重要手段。“我们的游戏就是赚有钱人的钱，而穷人也可以免费玩”，史玉柱说，“我现在可以透露的是，这一增值服务收费模式在内测的时候已经收支平衡并开始赢利。”人们不禁对这种“天上掉馅饼”的神话感到诧异：既然“永久免费”，游戏的盈利方式何在？

成竹在胸的史玉柱有他的理解：游戏点卡收费只是网游赢利的模式之一，放弃了点卡收费模式，《征途》将通过为玩家提供增值服务来收取费用。

在上海举行的 China Joy 2008 论坛上，巨人创始人史玉柱在会上表示，免费游戏的商业模式经过 3 年的发展，高速增长期即将过去，国内的网游产业必须重新寻找下一个高速增长点。以下是史玉柱的演讲实录[①]：

> 感谢大家。今天我跟大家谈一个体会，就是我们网游行业面临的机遇和挑战。第一点就是关于产业方面的。我认为网络

① 史玉柱：《免费网游商业模式即将成为过去》，见 http://tech.163.com/08/0716/11/4GVHTJN900092Q8K.html。

游戏10年（前）自万王之王一投入以来，这个行业蓬勃发展。近三年来，这个行业得到了加速发展。这大部分的一个原因就是依赖于这个行业商业模式的转换，即免费游戏模式的出现。这个模式的发展，出现了很多新的企业，也让很多以前规模不是很大的老的企业发展起来。

这个商业模式的威力确实很大，通过这三年的高速发展，我们预感这个商业模式带来这个行业的高速增长期即将过去。这个时候我们就要思考下一步的发展靠什么。是探索新的商业模式，还是在现有的商业模式上进一步深化的问题。新的商业模式究竟是WEB的发展，还是和社区网站的结合等。商业模式的发明和创造会使这个行业进一步发展，最近的出路在哪里？我们都在思考。当然目前这个商业模式究竟有哪些可以优化的地方我们还在探讨。

比如说《征途》，我们是靠这个游戏起来的，那么这款游戏的争议也很多。前面说到未成年人防沉迷系统。其实刚开始的时候我们就讨论过，我们如果倒的话倒在哪里？我们得出的结论是我们要倒就倒在未成年人身上。所以我们当初就决定不管这个市场好坏，我们都不碰他。在国家没有实施防沉迷的时候我们老早就执行了，后来我们看到国家有防沉迷的说法了，我们干脆不允许未成年人注册和登陆。

在进游戏的时候有点像三级片前面的字一样，未成年人不得进入。游戏当中还有GM管这个，可以举报，谁未成年的话就封掉。这个我们也不敢保证说没有一个未成年人，我们经过大量的调查，大概我们游戏的未成年人是千分之五到千分之六。为什么我开始的时候在乎这块，如果是一款好游戏，但是如果家庭是一个不够温暖的环境，实际上这是一场灾难。

首先好游戏都让人流连忘返。如果未成年人的家庭不够温暖，他容易沉迷进去，所以这两个放在一起就是灾难。一旦他沉迷进去以后，就会影响孩子的学习，影响他的发育，孩子需要户外活动，需要锻炼，这时候他沉迷到游戏当中就坏了，我们的行业不能要求社会和家长多给孩子温暖，我们也没有能力做到，但是你不让我们做好游戏也不可能。我希望政府部门除了帮我们呼吁一下，再多搞一些立法把我们公司的形象给扳过来。谢谢大家。

从以上的讲话中可以看出，史玉柱自己的企业也一直致力于商业模式的研究和探讨，以谋求更大的发展。

第三部分

创业成功绝不能靠忽悠

脑白金的成功没有一丁点的偶然因素，归根于我本人带领的团队对目标消费群的调查与研究的结果。

——巨人创始人　史玉柱

第一章
骗消费者一年可能，骗消费者十年就不可能

骗消费者一年，有可能。骗消费者十年，不可能。

——巨人创始人　史玉柱

消费者不可能被骗十年

在中国，可能有人不知道史玉柱，却知道那句广告词——“今年过节不收礼，收礼只收脑白金”。

一些“脑白金”的研究者认为，脑白金之所以能做起来，完全是依赖广告，靠忽悠。而巨人网络的CEO刘伟对此并不认同说：“那是外界不了解我们的营销策略。”

刘伟认为，随着每年广告费的节节攀升，其广告成本非常高，仅仅依赖广告是根本撑不住“脑白金”的市场的。即一旦“脑白金”没有回头客购买，那么其后果是不可想象的。

针对研究者的质疑，史玉柱坦言：“骗消费者一年，有可能。骗消费者十年，不可能。”在史玉柱看来，“脑白金”的成功是口碑宣传的结果。而口碑营销是非常重要的，时间已经证明了这个问题。

资料显示，当“脑白金”刚成功时，一些营销专家扬言，“脑白金”不出一年就会垮掉。事实却出乎这些营销专家的意料，“脑白金”已经销售了十多年，现在还是同类产品的销售冠军。脑白金的几位主要干部都是当初在珠海时期的“老巨人”，1992年、1993年到公司的。营销团队也很强，有三分之一的分公司经理是首款保健品“脑黄金”时期的人。

事实证明，过去那些营销专家对脑白金的批评无疑就不攻自破了。在做脑白金的这段时间里，史玉柱深入一线市场，做了大量的调查。资料显示，为了调查“脑白金”的真实市场。史玉柱询问过一些商场的柜员、农村大姐、大妈。

正是这样的调查，才保证了“脑白金”的成功，才有了“今年过节不收礼，收礼只收脑白金”的广告语。

史玉柱在公开场合曾坦言：“脑白金的成功没有一丁点的偶然因素，归根于我本人带领的团队对目标消费群的调查与研究的结果。”

史玉柱调查发现，那些批评脑白金的人多数是没有吃过脑白金这个产品的，而真正吃过脑白金的消费者往往是不会主动向媒体披露的，或者说这些消费者也没有对媒体宣传的义务。

在脑白金的实际销售中，能够得到消费者的认可，离不开消费者的口碑宣传。正是由于这个口碑宣传，脑白金才赢得了回头客。

史玉柱对目标市场做了大量实地的调查，无疑最有发言权。在第一次失败后的很长一段时间里，史玉柱不是在药店里调研，就是到农村跟一些老年人沟通交流。

史玉柱在开拓无锡市场时，竟然把当地几百家药店都调研了一番。当史玉柱拿到调研数据时，已经成功地为销售脑白金打下了基础。每次当史玉柱启动一个新市场，史玉柱都这么做。

得到第一手调研数据，史玉柱就把脑白金这个产品瞄准了受众广大的农村市场，打出送健康的“送礼”模式。原因是农村老年人“很抠门，想吃也舍不得买”，只有等子女花钱买。创业前，史玉柱曾在安徽统计局农村抽样调查队工作，对农村市场的理解与调研功夫正拜其所赐。

脑白金试销一年后在全国迅速铺开，月销售额飙升至 1 亿元，利润 4500 万元。与此同时，大部分中国人通过电视记住了“今年过节不收礼，收礼只收脑白金”这句广告词。[①]

消费者是不能靠忽悠的

对史玉柱来说，无论成功还是失败，虚名、骂名从来都没有和他分开过。对于脑白金的成功，有人说那是靠广告，靠忽悠。对于《征途》游戏，出来的时候，大家都在喝彩，但是喝的是倒彩，说别人都在做 3D 了，你还搞 2D，完全是骗人的吧！[②]

面对潮水般的“倒彩”，史玉柱早已习以为常。史玉柱只是说了一句话来回应：“骗消费者一年，有可能。骗消费者十年，不可能。”

史玉柱的观点非常有道理。消费者是不能靠忽悠的。资料显示，史玉柱的创业史可以分为两个部分——1997 年之前的巨人和 1997 年之后的巨人。

1997 年之前的史玉柱简直就是一个“天不怕地不怕”的开拓者。

---

① 佚名：《史玉柱，胡润财富榜上最富有 IT 商人的近视手术故事》，见 http：//www.dahe.cn/ggzx/zhuanti/purui/ssgs/t20071225_1230994.htm。

② 艾祥、邹尧：《巨人归来》，中国城市出版社 2008 年版。

而这个敢想敢干的开拓者不仅创造了中国20世纪90年代的一个奇迹，而且还高呼要做“中国的IBM”。

1989年8月2日，史玉柱大胆地利用报纸《计算机世界》先打广告后收钱的时间差，用全部的4000元本金做了一个8400元的广告：“M-6401，历史性的突破”。4个月之后，新的广告投入又为史玉柱赚回100万元的营业收入。

面对旗开得胜的局势。史玉柱想：“IBM是国际公认的蓝色巨人，我办的公司也要成为中国的IBM，不如就用‘巨人’这个词来命名公司。”

为了实现“中国的IBM”的目标，在1995年，巨人发动了前所未有的“三大战役”——把巨人集团研发的12种保健品、10种药品、10几款软件产品共同推向市场，同时还配合销售，投放了1亿元的广告。同年，史玉柱被《福布斯》杂志列为中国大陆地区富豪第8位。

高歌猛进式的多元化扩张，各种危机一时被高速发展的势头所隐藏，一旦高速发展不再，危机必然导致整个巨人集团面临重大灾难。

1996年，由于修建巨人大厦的资金告急，为了尽快修建好巨人大厦的史玉柱，果断地决定将保健品方面的全部资金尽可能地注入巨人大厦。

然而，由于保健品业务方面的资金“抽血”过量，再加上在快速扩张过程中的管理不善等问题，保健品业务也迅速盛极而衰。巨人集团潜伏的危机终于爆发，尽管脑黄金的当年销售额达到过5.6亿元，但是巨人集团的烂账竟然高达3亿多元。

惨败后的巨人集团不仅留下了上亿元的巨债，而且还留下一栋荒草肆虐的烂尾楼。然而，曾经的辉煌已经不再，只留下只言片语的传说。

此刻，遭受到重创的史玉柱，除了缺钱外，似乎什么都不缺，公司二十多人的管理团队，在最困难的时候依然不离不弃，没有一个人离开。

而且史玉柱手上已经有两个项目可供选择，一个是保健品脑白金，另外一个是他赖以起家的软件。1998 年，山穷水尽的史玉柱找朋友借了 50 万元，开始运作脑白金。①

客观地讲，史玉柱的经商才能是值得大书特书的。正是从朋友那里借的仅有的 50 万元。这给史玉柱留下了“星星之火”，其后的燎原之势更是证明了史玉柱的商业才能。

惨败后的史玉柱已经不可能再像以往那样高举高打，大鸣大放了。史玉柱只能依据毛泽东同志的“从农村包围城市”的做法，把江阴作为自己东山再起的根据地。

在启动江阴市场之前，只有 50 万元二次创业基金的史玉柱明白，或许这是一次翻盘的机会，或许只是一次彻底失败的陷阱，必须稳扎稳打。

为了证明项目的可行性。史玉柱首先对江阴市场做了一次大规模的“江阴调查”。史玉柱放下当年的《福布斯》中国大陆地区富豪的架子，走村串镇、挨家挨户地进行深入调查。

在调查中，史玉柱发现，由于年轻人在白天都要出去工作，看家的绝大部分都是老大爷、老大娘，平时几乎见不到人。

当史玉柱去做调查时，这些老大爷、老大娘们非常高兴。而史玉柱就搬个凳子坐在院子里跟这些老大爷、老大娘们聊天，在聊天中对这些老大爷、老大娘进行第一手的调查。

史玉柱通常会问以下几个问题：① 你吃过保健品吗？② 如果可以改善睡眠，你需要吗？③ 可以调理肠道、通便，对你有用吗？④ 可以

---

① 佚名：《史玉柱创业故事：我的成功不是靠忽悠》，见 http：//www.nbd.com.cn/articles/2008-12-05/138802/print。

增强精力呢？⑤价格如何如何，你愿不愿使用它？

当史玉柱问这些老大爷、老大娘问题时，这些老大爷、老大娘都会告诉史玉柱说："你说的这种产品我想吃，但我舍不得买。我等着我儿子买呐！"

史玉柱接着问："那你吃完保健品后一般怎么让你儿子买呢？"史玉柱得到的答案是，这些老大爷、老大娘们往往不好意思直接告诉儿子，而是把空盒子放在显眼的地方暗示自己的儿子已经吃完了保健品。

当史玉柱整理完这些市场调查资料后敏感地发现了其中的商机。于是史玉柱因势利导，推出了家喻户晓"今年过节不收礼，收礼只收脑白金"的广告。

东山再起的史玉柱已经不再像从前那样高歌猛进，而是如履薄冰、小心翼翼。从卖脑白金，投资银行股，进军网络游戏，在一片废墟上，转眼练就了超过500亿元的财富。史玉柱能够"惊天逆转"，不仅与史玉柱的商业才能有关，而且还离不开他的踏实、敢想敢干。

第二章
二三线市场比一线的更大

中国市场是金字塔形的，塔尖部分是北京、上海、广州，往下是大中城市、小城市，塔基是广大的农村地区。其实市场越往下越大，下面消费者没有想象中那么穷，消费能力也不弱。一线城市全占满了，也还不到下面市场的1/10。

——巨人创始人　史玉柱

不要只看塔尖，二三线市场比一线的更大

在中国农村，地广人多，居民的消费能力大幅度提高，市场潜力非常巨大。三株创始人吴炳新强调，三线潜力巨大的市场肯定会有庞大的购买力。

美国《连线》(*wired*)杂志主编克里斯·安德森（Chris Anderson）在2004年10月的《长尾》一文中最早提出长尾理论，安德森认为，长尾理论所讲述的是经济和文化正在从为数较少的主流产品和市场，向数量众多的狭窄市场转移的现象。

由此，安德森发现，小众的产品也能同主流的产品一样，散发出辉煌业绩的经济魅力。如把那些在传统零售业中销售量不佳的小众产品全

部聚集在一个宽广的渠道平台上，将能够与已有的大型主流市场相匹敌，甚至超过大型的主流市场。

同理，在农村广袤的市场里，潜在的庞大消费群同样能让产品热卖。对此，史玉柱深有体会，他在中央电视台《赢在中国》栏目评点选手时谈道：“我先点评 29 号，我根据 29 号所提供的这些资料感觉到企业做得还是比较扎实和规范的，根据你的介绍，社会效益、经济效益都很有前途的。我谈几点建议，第一个建议，人在成功的时候，不能得意忘形。我倒没有说你得意忘形，我只是提个醒，尤其你将来越得意的时候，越要提醒自己。第二个建议，你要重视二三线城市，现在创业很注重北京、上海、广州这种一类城市，不太注重二三类城市。但是你分析北京、上海、广州市区人口占全国人口市场容量也就是 3%，最多到 4%，省会级城市和一些像无锡地区性中心城市加在一起，要远远超过北京、上海、广州等中心市场。而再小一些的城市，比中心城市，各个省里面的地级市，全国 380 多个，这比省会城市更大，而到了县城和县级市他们城镇地区市场又比 380 个市场更大。再到镇里面，你这个可能到镇里差异少一点，镇里市场比县城市场更大，中国市场是呈金字塔形的，一般创业者比较关注塔尖，实际越往下市场越大，我建议你的市场可能完全有条件往二三线市场走的，而二三线市场要比一类大，我希望你关注一下这类市场。”

在史玉柱看来，二三线市场份额比一线市场要大。正因为如此，史玉柱才很快东山再起。可能读者非常好奇——“为什么二三线市场份额比一线市场要大呢？”

这主要得利于毛泽东的“农村包围城市”战略。在很多场合，史玉柱并不讳言自己常看《毛泽东选集》。而史玉柱坚持认为，毛泽东最大的成功就在于“农村包围城市”的战略性成功。

在读《毛泽东选集》时，史玉柱非常喜欢毛泽东"农村包围城市"的战略思维。的确，农村包围城市，最后夺取全国胜利的革命道路，是以毛泽东为代表的中国共产党人在领导中国革命实践中逐步摸索出来的一条具有中国特色的发展道路和总战略。其基本内容是，中国民主革命首先在敌人统治力量比较薄弱的农村，发动农民武装暴动，建立人民军队，建立革命根据地，把武装斗争、土地革命、建立政权结合起来，使之建成支持长期革命战争的战略基地。依托根据地积累发展革命力量，随着革命战争、人民武装和根据地的发展，逐步造成农村包围城市的战略态势，最后夺取全国胜利。[①]"农村包围城市"的战略要点有两个，见表 3-2-1：

表 3-2-1 "农村包围城市"的两个战略要点

（1）	因为中国是个农业大国，所以可以依靠农民取得胜利。
（2）	因为当时革命的力量还太弱小，在农村容易生存，而此战略的目的则是为了夺取大城市，解放全中国。

在这些战略要点中，特别是第二点，那就是中小企业在实力雄厚的跨国公司或者大型公司不愿意开发的市场内几乎没有竞争对手，可以获得高速发展。

正如史玉柱所言："像保健品，你看上海，到一般的商场，往往有两三百种，到县城去一般只有五六种，到镇里面去就只有两三种了，在那样的地方竞争不激烈。"

在史玉柱的二次创业中，仅仅只有 50 万元启动资金的史玉柱，肯

① 佚名：《农村包围城市》，见 http：//baike.baidu.com/view/139489.htm。

定无法直接“攻进”大城市，必须积累足够的力量。但是在创业企业的初期阶段，农村市场是创业初期最好的产品销售地。

在史玉柱看来，由于一些偏远的农村缺乏购买力。因此，史玉柱并没有把农民的消费当做主要的目标市场，而目标市场依然在大城市。

新农村包围城市运动

不管是做脑白金，还是做网游。史玉柱都会把目标定在二三线市场。当《征途》游戏推出后，曾有媒体记者采访史玉柱时问他一个问题：“《征途》和脑白金面对的人群是否不一样？”

针对记者提出的问题，史玉柱的回答却出乎记者的意料：“网游和保健品一样，真正的最大市场是在下面，不是在上面。中国的市场是金字塔形的，塔尖部分就是北京、上海、广州这些城市，中间是大的城市，像南京、武汉、无锡。越往下越大，中国真正的最大网游市场就在农村，农村玩网游的人数比县城以上加起来的要多得多。”

研究发现，二三线市场里潜在的商业价值，史玉柱并不是“第一个吃螃蟹的人”。在1995年巨人集团向保健品市场拓展之前，三株创始人吴炳新就已经通过“农村包围城市”取得了成功——在保健品行业，吴炳新是名副其实的“教父级”人物。吴炳新曾经带领三株在很短的时间内演绎了中国保健品行业最辉煌的“神话”。1992年吴炳新以30万元起家；1995年销售收入便达到23.5亿元；1996年，迅即走向峰巅，销售收入超过 80 亿元。[①]

客观地讲，吴炳新已经把“农村包围城市”运用得炉火纯青。在当时，三株药业的产品遍布中国农村的每一个角落，连农村的厕所都要刷上三株药业的广告。

为此，史玉柱曾专门去三株药业向吴炳新学习“农村包围城市”的策略。当然，史玉柱的拜师学艺证明了“农村包围城市”的可行性。

当第二次创业的史玉柱在启动脑白金保健产品项目时，将“农村包围城市”的第一根据地选在了江阴。史玉柱分析后认为，江阴是县级市，它所处的苏南地区，购买力强，城市密集，距离上海、南京也很近，能够更好地把农村市场和城市市场衔接起来。而 10 万块钱在上海打广告还不够做一个版的报纸广告。正是这种营销思路，使脑白金在保健品的红海里做出了“营销蓝海”。

在江阴，史玉柱得到了回报——第一个月赚了 15 万元。而史玉柱却把这 15 万元再加上 15 万元预备资金，又投入到无锡市场的开拓中去了。在第二个月，脑白金就赚取了 100 多万元。

而后几个月里，在南京、常熟、常州以及东北的吉林，这四个城市最后全部都成了脑白金早期的“革命根据地”。正是根据地的“星星之火”，随即开始成燎原之势。

史玉柱的新农村包围城市运动取得胜利。在 1998 年年底，脑白金保健品已经抢占了中国 30% 多的市场份额，月销售额近千万元。

当史玉柱取得第一场战役的胜利后，1999 年春天，史玉柱和他的团队悄悄地来到上海。在免费午餐的刺激下，脑白金保健产品的市场被迅速打开，到 1999 年年底，脑白金保健品便打开了中国大陆市场。

---

① 佚名：《吴炳新》，见 http：//baike.baidu.com/view/1840585.htm。

史玉柱取得了丰硕的成果。仅仅在2000年，脑白金就创造了13亿元的销售奇迹。成为保健品市场当之无愧的销售状元，并在中国大陆拥有200多个销售点的庞大销售网络，规模超过了鼎盛时期的珠海巨人集团。

由于脑白金在农村市场起步，2001年，巨人推出黄金搭档保健产品时，史玉柱依然把重点市场选择在农村市场。

在第一轮试销中，史玉柱依然集中选择了5个中小城市——漳州、襄樊、吉林、威海、绵阳。

事实证明，对于史玉柱的成功，“农村包围城市”战略立下了大功。同时也是史玉柱市场营销的一个极其重要的法宝。

当史玉柱转型进入网络游戏行业后，除了像脑白金一样开始免费，史玉柱又一次将目标对准了农村市场。

在史玉柱看来，网络游戏这个行业内的企业都把市场重点放在北京、上海、广州等大城市，对中小城市和农村市场根本就不关注，甚至根本就不重视。但是史玉柱调研后发现，网络游戏和保健品一样，真正最大的市场却是中小城市和农村市场。

由于中国大陆一线城市的人口才几千万，尽管这些城市处于金字塔的顶端，但是却远远低于中小城市和农村市场。因为中国市场是金字塔形的，北京、上海、广州这些大城市是位于塔尖的顶部；南京、武汉、无锡等城市位于金字塔的中间部分；而金字塔的底部却是中小城市和农村市场。

史玉柱认为，中小城市和农村市场是真正最大的网络游戏市场，因为农村玩网络游戏的人数比县城以上城市加起来要多得多。

在史玉柱看来，网络游戏这个市场越往下其实市场越大，由于中国大陆实行改革开放，农村的消费能力也依然很强。

史玉柱坦言，就算抢占了一线城市全部市场份额，也还不到中小城市和农村市场的1/10。这就意味着大城市的整个市场规模是非常有限的，而二三线城市聚集了数亿的人口，只要推广得当，其中小城市和农村市场空间还是相当可观的。

史玉柱分析认为，除了网易在一些中等城市比较重视地面推广外，其他竞争对手都还没有到那么偏远的地方去做市场推广。

于是，史玉柱断言说："网络游戏行业的很多公司都不太注重二三线城市。"当史玉柱发现这个潜力巨大的消费市场时，便为打开网游行业中小城市和农村市场找到了突破口。

然而，在一线城市，对于发展至今已近10多年的网络游戏而言，一线城市市场的消费者需求早已经饱和，后来的网络游戏新产品已很难进入到一线城市抢占更多的市场份额。而位于二三线的中小城市和农村市场却聚集了数亿的人口，这片蓝海蕴含着巨大的市场潜力。

事实也是如此，中国大多数位于二三线城市的中小城市和农村市场的网吧都是以娱乐场所存在的。在任何一个网吧里，90%以上的消费者都是在玩计算机游戏。因此，史玉柱在接受采访时说："我不会去主打一线城市，下面（城市）的总量要比一线城市大很多。越是这些偏远地方，竞争就越不激烈。在北京、上海等一线城市里，网易和盛大等网游先行者所占的市场份额已经相当高了，因此整个市场的推广费用也随之水涨船高。"

史玉柱继续介绍说："在一线城市的很多网吧去贴广告画是要付钱的，但是在二三线城市基本上不需要。上海的网吧对营销人员会爱理不理，干点什么都很难，但是到了上海周边县、镇里的网吧，从网管到网吧主对营销人员都非常热情，给你倒水、帮你贴宣传画，而这些宣传都是免费的。在二三线城市，至少有超过60%的玩家依旧在网吧里玩网络游戏，有如此庞大的消费者，进行地面推广的效果是可想而知的。”

史玉柱中小城市和农村市场战略取得了巨大成功，仅仅到2007年3月份，征途公司的月运营收入就超过1.6亿元，月纯利润超过1.2亿元。以此计算，公司一季度营业收入将超过4.8亿元，每季度纯利润将超过3.6亿元。这是二三线城市给《征途》带来的回报。

第四部分

营销没有专家

营销是没有专家的，不能迷信专家。我认为大学里有关营销的教材中 80% 的内容都是错的。要说有专家，我认为唯一的专家（就）是消费者。

——巨人创始人　史玉柱

第一章
谁消费我的产品，我就要把他研究透

自从三大战役失败之后，我就养成了一个习惯，谁消费我的产品，我就要把他研究透。一天不研究透，我就痛苦一天。

——巨人创始人　史玉柱

消费者比营销专家更有话语权

要想把产品销售给消费者，作为企业经营者，不用去问营销专家，而是要问消费者。对此，史玉柱在公开场合说："我一直认为，营销学书上的那些东西都是不可信的，和他们想法相反的，倒可以试一下。营销学诞生于美国20世纪纪初，事实上是当时美国几大广播公司搞出来的，目的就是为了让企业投放广告。最好的营销老师就是消费者，如果有好的产品、好的营销，队伍过硬，就能打开市场。"

在史玉柱看来，消费者比营销专家更有话语权。史玉柱坦言，在策划"脑白金"这个品牌时，史玉柱就完全遵守了"721原则"，见表4–1–1：

表 4-1-1 “721 原则”

（1）7	所谓 7 就是把消费者的需求放在第一位，即花 70% 的精力来服务于消费者。
（2）2	所谓 2 就是公司投入 20% 的精力做好销售终端的建设与管理。
（3）1	所谓 1 就是公司只花 10% 的精力用来处理公司与经销商之间的关系。

史玉柱之所以要花费大量的精力研究消费者，是因为消费者比营销专家更有话语权，是直接购买产品的人。对此，史玉柱在接受媒体采访时说：“营销是没有专家的，唯一的专家（就）是消费者，（也）就是你只要能打动消费者就行了。”

在中国，保健品市场的竞争从来都是非常激烈的。要想在红海市场深处杀出一条血路，就必须开创自己的蓝海市场。

史玉柱经过一番深入的研究，用“脑白金”、“黄金搭档”这两款产品开创出一片蓝海，从而获得了意想不到的成功。

究其原因就是史玉柱对消费者的研究。正如史玉柱在接受媒体采访时坦言：“我的成功没有偶然因素，是我带领团队充分关注目标消费者，做了辛苦调研而创造出来的。”

在史玉柱看来，要想让消费者购买自己所生产的产品，就必须去了解消费者，但是作为企业经营者往往不愿意了解消费者，因为消费者很难了解。尽管如此，史玉柱为了加深对消费者的了解，竟然花费了大量的时间和精力。

按照传统的营销思路，一般得先生产一个较好的产品，再根据产品去开拓市场，然后把产品销售出去。然而，史玉柱却恰恰相反，史玉柱先在一个潜力巨大的市场中去研究消费者，然后再根据消费者的需要定位和生产消费者所需的产品。

在2003年，史玉柱驾驶着汽车走遍了中国大陆所有的省、市、自治区，其目的就是做市场调研。

当史玉柱深入调查后发现，在中国至少有70%的女性有睡眠不足的毛病，而睡不好觉的老人却占90%以上。

在调研中，老人和妇女还经常关心一个关于衰老的问题。在史玉柱看来，这是一个有巨大商业价值的市场机会，更为重要的是在这个市场内缺乏明显的领导品牌。

于是，史玉柱针对这些消费需求，把脑白金以及其后的黄金搭档强势推出。然而，史玉柱和其他创业者一样，刚开始推广脑白金时并不顺利。

遭遇挫折，史玉柱却不轻易放弃。因为史玉柱看到了许多中老年人失眠、肠道不好的"迫切需求"，脑白金改变了传统的胶囊形式，推出了1+1的产品模式：胶囊管睡眠，口服液管肠道，刘伟称："脑白金这个做得很绝。"

在推广黄金搭档时，史玉柱把黄金搭档的广告词撰写得更加通俗易懂："黄金搭档送长辈，腰好腿好精神好；黄金搭档送女士，细腻红润有光泽；黄金搭档送孩子，个子长高学习好。"

尽管这样的广告词被众多的营销专家和广告大师评点为俗气的广告词，但是史玉柱撰写的广告词却牢牢抓住了每一个受众目标的心。

对此，史玉柱在接受媒体采访时坦言："营销是没有专家的，唯一的专家是消费者。你要搞好的策划方案，你就要去了解消费者。"

然而，在中国，一些企业对消费者的研究，并非打算为消费者带来什么实质的利益，而是为了有效的宣传和广告方案的策划而研究人，追求的是“把梳子卖给和尚”甚至是“把发簪卖给和尚”的手段，至于将黄金与酒的结合则是从“王婆卖瓜式的销售的初级阶段”到心理学与行为学的如“皇帝的新衣”的产业提升了。

谁消费我的产品，我就要把他研究透

两千多年前，中国古代著名军事家孙武在《孙子·谋攻》一文中就谈道：“知彼知己者，百战不殆。”

这句话的大意是，透彻了解敌我双方的情况是赢得战争胜利的一个关键因素。尽管创业不同于战争，但是对于任何一个创业者而言，要想提升创业企业的经营业绩，就必须深入了解消费者。

在史玉柱的意识中，营销压根就没有什么专家，要想做好一个产品，在产品前期论证阶段就必须花大量的时间和精力来了解消费者。

在业界看来，史玉柱的成功，是因为他懂得研究消费者。史玉柱说过，“（公司）规模稍大的企业家，往往今天邀这个政府官员吃饭，明天请那个银行行长打球，他们70%的时间属于‘不务正业’。我从不琢磨领导们各有什么爱好，只一心一意研究消费者，这为我节约了很多时间。”

而史玉柱坦言：“我培养了一支队伍，要求他们每个月必须至少要跟100个消费者进行深度交谈。”

这可能是脑白金持续保持一定销售额的原因所在。其实，脑白金的成功，还是源于史玉柱对消费者的深入研究。

从史玉柱脑白金这个成功的典型案例中发现，在史玉柱的营销思维中,卖什么产品并不是最重要的,关键是产品能够满足消费者的需求——身体的需求和心理的需求。

为了了解消费者的需求，史玉柱可谓是亲临一线。史玉柱在接受媒体采访时说：“自从三大战役失败之后，我就养成了一个习惯，谁消费我的产品，我就要把他研究透。一天不研究透，我就痛苦一天。”

史玉柱说:“在珠海一出门，一路上都有人找你要债，啥事也做不成。我就在珠海留了两个副总裁，专门负责相关工作，（我）把核心的队伍带到江苏去了。但是在江苏我们也没地方待，那边也没有公司，所以当时我先住到了无锡的一个招待所去。然后每天都跑市场，做市场调查。”

在销售脑白金之前，史玉柱并没有动用其最擅长的广告营销，而是针对产品的市场需求做了深入的调研。不仅深入调查和了解了当地的消费者，而且还对其他省市的消费者都做了调研。

在后来很多媒体的评论文章中就有“在江阴市的大街小巷，那个戴着墨镜、个子很高，但是身体很瘦，走村串镇、挨家挨户寻访的年轻人就是史玉柱”的报道。

正是这些调研让史玉柱大受启发，史玉柱敏感地意识到这个市场里存在很大的商业机会，只是没有被开发出来。于是脑白金销售之初便打出了“今年过节不收礼，收礼只收脑白金”的广告语，通过满足儿女们对老人的孝心、亲情，来促成产品的销售。正好解决了保健品市场消费者与买单者脱节的问题。

在之后的游戏产品的研发中，史玉柱用同样的方法赢得了游戏玩家的认可。史玉柱在决定研发网络游戏时，就对大量的游戏玩家进行了研究。

史玉柱在接受媒体采访时坦言:“我啥都不管，只关心玩家的意见。”在史玉柱看来，只有游戏玩家的意见才能影响产品的口碑。

当史玉柱在谈到研发有关产品设计的话题时，他都会兴致盎然地跟你仔细讨论每一个细节。史玉柱每天都在玩游戏，在玩游戏的时候，史玉柱只开两个窗口，一个是游戏的主界面，另一个是研发组的MSN群，“发现问题我直接在群里面和他们探讨”。

在整个游戏研发过程中，史玉柱每天竟然要花15个小时来听取玩家的意见，史玉柱坦言：“我睡眠时间相对比较短，剩下时间都在跟玩家交流。”

在史玉柱看来，整个人类的文明史都应该被囊括进去，玩家可以体验从原始人到未来世界的进化过程。

在谈及网游市场的营销时，史玉柱一再向媒体坦言：“很落后，这个行业最不重视对消费者的研究。”

在史玉柱看来，网络游戏界几乎没有一个领军人物能够像史玉柱那样玩游戏一玩就是二十多年。并且史玉柱喜欢在游戏中与玩家交流，听取玩家的意见和建议。从这个角度来说，正如一些媒体报道中所说的，玩家在不经意间已经享受到世界上身价最高的“客服”服务了。

第二章
做广告就是要让消费者记得住

中央电视台的广告很多，漂亮得让人记不住，我做广告的一个原则就是要让观众记得住。

——巨人创始人　史玉柱

消费者记不住的广告不是好广告

在媒体上做广告，其目的就是为了提升产品知名度，增加销售。如果在媒体上做了广告，消费者却没有记住你的产品，这样的广告肯定不是好广告。

在史玉柱看来，只有被消费者记住的广告才是好广告。对此，史玉柱在接受媒体采访时坦言："中央电视台的广告很多，漂亮得让人记不住，我做广告的一个原则就是要让观众记得住。"

尽管有营销专家和学者不认可史玉柱的广告。在北京大学光华管理学院的一次论坛上，某著名经济学家语出惊人："凡是广告做得太多的企业（都）没有一个好下场！"并对"脑白金"、"哈医药"等企业铺天盖地的广告更是深恶痛绝。但是，让这位经济学家吃惊的是，史玉柱的脑白金产品不仅"下场"很好，而且销售得很好。

在中国，消费者不一定知道史玉柱这个人，但是一定知道脑白金这个广告——“今年过节不收礼，收礼只收脑白金。”

脑白金的电视广告每天都会在黄金时段、亚黄金时段滚动播出，专题片、功效片、送礼片三种版本的广告相互补充，组合播放，从而形成了铺天盖地、狂轰滥炸的态势。

正是脑白金广告不同凡响的传播力度，引起了社会各界的强烈反响。于是，一些营销专家和学者对其议论纷纷，甚至还群起而攻之。

营销专家和学者攻击脑白金广告主要体现在两个方面：一是脑白金的广告做得过多了；二是脑白金的广告做得太没创意了。

提起脑白金的电视广告，在营销专家和学者对其批评时，有媒体记者曾直接以“大家看到的是在电视上铺天盖地的广告，都有这句话——收礼只收脑白金，有些人甚至说天天看觉得烦死了，我不知道你有没有听到过这样的说法？”的问题采访史玉柱。

尽管记者的问题有些负面，但是史玉柱坦言：“从企业的利益考虑，这个广告还是要做。”在史玉柱看来，不管电视观众喜不喜欢“今年过节不收礼，收礼只收脑白金”的这个广告，但是史玉柱首先要做到的是要给人留下印象。

的确，广告做得再漂亮，观众却记不住，这样的广告就是一个失败的广告。可能读者非常疑惑，为何脑白金的广告没有创意，产品销售量却能遥遥领先呢？

史玉柱是这样回答这个问题的：“不管观众喜不喜欢这个广告，你首先要做到的是要给人留下印象。广告要让人记住，能记住好的广告最好，但是当时我们没有这个能力，我们就让观众记住坏的。观众看电视时很讨厌这个广告，但买产品的时候却不见得，消费者站在柜台前面对那么多的保健品，他们的选择基本上是下意识的，就是那些让他们印象深刻的。”

当然，也有媒体记者以常有人说“脑白金的广告是垃圾广告”的问题采访史玉柱，而史玉柱是这样回答媒体记者的：“每样东西出来肯定都是有人喜欢，有人不喜欢。你喜欢那个广告吗？如果你不喜欢‘今年过节不送礼，送礼只送脑白金’，我们就换一个，类似的广告词我这儿多着呢，比如‘今年爸妈不收礼，孝敬只送脑白金’，可以吧，孝敬爸妈天经地义，总没人说是垃圾了吧。”

可以肯定地说，脑白金能打开保健品市场与史玉柱“今年过节不送礼，送礼只送脑白金”的这个广告密不可分。

据统计资料显示，在最近几年的春节高峰期，脑白金的电视广告同时在中国20多家电视台播出。每个电视台每天播出的时间大概为两分多钟，总共一天播出的时间大约为40多分钟。在“今年过节不送礼，送礼只送脑白金”这个广告的支持下，脑白金的销量从1998年至今仍然是一路增长。

从这一层面上来说，脑白金的广告确实是一个成功的广告。但是脑白金的广告却一直被人诟病。2001年，由于在推出“黄金搭档”这个产品时，史玉柱依然沿袭脑白金的广告策略——“黄金搭档送长辈，腰好腿好精神好；黄金搭档送女士，细腻红润有光泽；黄金搭档送孩子，个子长高学习好。”黄金搭档这个产品在史玉柱纯熟的广告策略和成熟的渠道推动下，以迅雷不及掩耳之势走红中国。

然而，一些营销专家和学者不仅批评脑白金的广告恶俗，还连年把它评为“十差广告之首”，甚至将“十差广告”的第二名也授予给了史玉柱。

面对这样的批评，史玉柱却有着自己的理解：“我们每年都蝉联十差广告之首，十差广告排名第一的是脑白金，黄金搭档问世后排名第二，但是你注意十佳广告是一年换一茬，十差广告（却）是年年都不换。”

史玉柱的理解是有其事实依据的。在十佳广告中，年年都有新的广告进来，因为一部分企业倒闭了。然而脑白金至今依然长盛不衰，脑白金和黄金搭档这两个产品依然是保健品市场上的常青树，畅销多年仍不能遏止其销售额的增长。2007 年上半年，脑白金的销售额比 2006 年同期又增长了 160%！

史玉柱甚至对自己的创意能够居连年来的“十差广告”榜表示很荣幸，他笑着说：“脑白金连续七八年每年都（被）评为中国十差广告（之首），每次一评之后我就踏实一点儿，如果没被评上，（反而）说明可能还是有点问题的。”

脉冲式的广告投放策略

在保健品这个行业中，仅仅依靠巨资打广告来推广产品销售绝对不能“放之四海而皆准”。即在保健品推广中广告不是万能的，但是没有广告则是万万不能的。

谈及广告，有媒体记者采访史玉柱时问道：“你下海后的第一笔钱是靠赊账打广告才赚到的，后来又经常把赚到的钱统统投入广告，再后来又有人说脑白金是‘广告暴利’，这问题你是怎么考虑的？”

面对记者的提问，史玉柱的回答是：“一个面向千家万户的产品，要想家喻户晓，你说还有什么比广告更快？我想不出还有什么更好的方法。”

在史玉柱的创业历程中，广告策略曾立下过汗马功劳。对此，史玉柱就做过一个非常形象的描述。史玉柱坦言："做广告，就像在走钢丝。与其在走的时候停停留留、犹犹豫豫，不如鼓足勇气一走到底。"

很多人对脑白金的广告轰炸不屑一顾，只有真正对脑白金进行过研究之后，才知道脑白金为什么要那么做。在史玉柱看来，要想维护脑白金这个品牌，必须舍得花费巨资通过铺天盖地的广告宣传打动消费者，刺激消费者的购买欲望。这样才能保证脑白金的销售增加，一旦不能维持足够的广告曝光度，那么它就会迅速衰退。

对此，史玉柱作了详细解释："实际上，广告投入到一个时候，它才有一个飞跃，前面都是量的积累的过程，销量的增长不会太大，可一旦突破一个临界点的时候，（产品）销量会突飞猛进地涨。有很多做保健品的还有其他行业的，投广告的时候蜻蜓点水，实际上风险最大，是在浪费钱。"

在史玉柱看来，重视广告是赢得消费者的秘密武器之一。在史玉柱的创业历程中，史玉柱深谙电视报纸等大众媒体的运作规律，他创造的营销组合令脑白金取得非凡的业绩。

在推广脑白金这个产品时，由于没有足够的资金，在很多城市都没有投放大量广告。史玉柱就采取了更加低廉的广告策略——史玉柱把字体巨大的"脑白金"广告投放在一些写字楼和城市的路牌广告上。

史玉柱就这样以低廉的投入、无孔不入的方式使"脑白金"强力向三线、四线城市渗透，完成了产品的大规模铺市工作。我们仔细看看史玉柱所推出的脑白金广告策略，便可以从中看出史玉柱在广告策略上与竞争者的巨大差异。

在后来的脑白金的电视广告中，"今年过节不送礼，送礼只送脑白金"这句广告语就如同天气预报一样随处可见。

当然，脑白金的广告简单、朗朗上口，这就很容易使得脑白金广告的声音、画面、词语等牢牢地铭刻在消费者的心中。而这样的效果正是史玉柱想要的。

资料显示，在2001年，脑白金有1亿元的广告投放量。不过，史玉柱告诫创业者，广告投入不能盲目，因为盲目投放广告不一定能达到期望的效果。

史玉柱在接受媒体采访时坦言："这里面有广告策略的问题，很多企业一年的广告投放量都超过1个亿，但市场回报远远不到这个数。"

在史玉柱看来，广告投入的目的是促进销售，不能盲目地投放广告。这就决定了脑白金的广告投放必须科学、合理，不可能时时刻刻都进行高密度的广告轰炸。

研究发现，正是史玉柱巧妙地采用了脉冲式的广告投放策略，脑白金才取得了不错的业绩。史玉柱采用脉冲式的广告投放策略：每年只集中在春节和中秋节这两次销售高峰上。2月至9月初，广告量很小。从中秋节倒推10天，从春节倒推20天是广告密度最大的时间段，加在一起共30天。

第五部分

再小的企业，一开始也要规范

我公司自成立的第一天起，就按上市公司的要求去做。这在起步阶段可能（会）影响一点发展速度，但发展后劲足，会持久，而且机遇一旦来临，就能迅速扩张。

——巨人创始人　史玉柱

第一章
再小的企业也要规范

企业创立的第一天起就要建立严格的制度、规范化运作，哪怕因此牺牲一些发展速度。

——巨人创始人　史玉柱

企业从一开始做事就应该规范，哪怕牺牲一点发展速度

在一些创业企业中，往往都是牺牲企业规范来换取发展速度的。然而，史玉柱却不认可这样的做法。史玉柱认为，“企业从创立的第一天起就要建立严格的制度、规范化运作，哪怕因此牺牲一些发展速度。”

在中央电视台财经频道《赢在中国》第三赛季晋级篇的第一场中，本场的创业选手是符德坤，男，出生于1974年，大专学历。他的参赛项目是，建立中国最大的会员制网上购物中心，这个网上购物网站的最大特点是可视化。

当问完所有的问题后，史玉柱却不认可符德坤的观点。史玉柱的点评如下：“我不同意你现在可以不规范的说法。我觉得一个企业，从一开始做事就应该规范，哪怕牺牲一点发展速度。我公司自成立第一天起，

就按上市公司的要求去做，去规范，这在起步阶段可能影响一点发展速度，但发展后劲足、会持久，而且机遇一旦来临，就能迅速扩张。现在你一个团队运作三个公司，这样做是不合法的。所以我提醒你，从现在开始，就应该有强烈的规范意识。”

在史玉柱看来，再小的企业，一开始也要规范。正如史玉柱点评所言：“我公司自成立的第一天起，就按上市公司的要求去做。这在起步阶段可能影响一点发展速度，但发展后劲足、会持久，而且机遇一旦来临，就能迅速扩张。”

史玉柱告诫创业选手符德坤要规范，主要源于他自己的失败教训。史玉柱回忆说：“15 年前的中国和现在不一样，那时谁的胆子大谁就能取得暂时的成功，但现在看来不是这样的，那时胆子大的人，活到现在的有几个？我那时候也属于胆子大的，可我不也是栽了吗？现在，中国已经越来越规范了，机会也越来越均等了，不能再靠胆大取胜。现在靠的是战略和人才。我建议通过制订英明战略和合理使用人才去促进企业发展，个人胆魄不那么重要！”

史玉柱的告诫，可以让更多创业者清醒，因为史玉柱以自己曾经的失败教训来提醒创业者。在中央电视台财经频道《赢在中国》第二赛季晋级篇的第一场中，本场创业选手董冰，男，出生于 1972 年，博士学历。他的参赛项目是，做中国最专业的电动自行车维修。董冰是这样介绍自己的创业项目的：“虽然还是自称小虾米，但管理服务是 4S 标准。要把修车进行到底，做大、做强、做到上市。”

当史玉柱问完创业选手问题后，客观地点评说：“你给我的印象很深刻，你坚韧不拔的性格我非常钦佩，你能实现从不专注到专注，这是很不容易的。我是摔了跤之后，才下决心要专注的，你能做到，我确实很钦佩。我给你提两个建议。第一个是早点建成你的团队。你现在还是大个体户，带几个人跟着你干，以后你要把他们培养起来。第二个是你的企业的业务特征，决定了你需要一个规范的技术操作手册。这个手册要具有简单、可操作、灵活等特点。也就是说，要让人一看就懂操作了，而且手册要具有能应对各种复杂情况的灵活性的特点，不能在苏州能用，到常熟就用不了了。应该学麦当劳，它做汉堡的手册有一尺多厚，主要目的就是应对各种复杂情况的。麦当劳正是把各种情况都考虑到了，所以它在全世界做的汉堡都是同等品质。企业要做出 4S 服务，这个功夫也是要下的。”

在中国的很多创业者，由于自己非常强势，加上自己又是老板，就需要制订相关制度来约束初创企业创始人个人的某些决策，从而更好地发挥团队的作用。

在巨人网络公司，所有决策必须是团队开会确定，尽管当时史玉柱本人是公司董事长，但他只负责抓研发，却不准看巨人网络的股票行情。

然而，有一次，史玉柱还是禁不住偷看了巨人网络的股票行情，当场被总经理发现，总经理说：“你再这样的话，公司是没有希望的。”从那以后，史玉柱只管抓研发，不再关注股票的短期波动。

由于一些初创企业不规范，史玉柱特别提醒一些才出校门就自主创业的人，依靠个人才华出众，企业是可以走到一定高度的，但当规模超过百人后，仅凭老板个人的能力和精力就不够了，公司管理可能进入危险爆发期。要当心发生众叛亲离的情况，这是绝大多数企业家都逃不过的一劫，也只有经过这一劫，企业家才能真正成熟起来。[①]

① 佚名：《听史玉柱说创业戒律》，载《解放军日报》2009 年 2 月 7 日。

完善现代公司制度的价值远远比眼前的十几万元重要

在很多创业型的企业中，几乎没有什么制度可言，更别谈完善的现代公司制度。在一些创业者的眼中，制度就是创业者手中的狗，想咬谁就咬谁。这就是为什么中国创业企业生命周期的平均年龄为2.9年的一个重要原因。

在史玉柱看来，这样的做法无疑是自杀。史玉柱在《史玉柱自述创业历程》一文中是这样谈论规范的："不要光是整天生活在闷事中，但真要做事的时候一定要胆子小、谨慎、脚踏实地。再一个就是上来做事要规范，想要做大事，一定要规范，做小事不太规范好像时间短也没什么问题。但是你如果想干个大事，做得比较长久的，所有事情都要做规范。

中国有个规律，王石有次跟我说，结合他自己的例子就是——不该你赚的钱，你赚到了，将来一定会加倍吐出来。他创业初期也有不规范，在深圳倒卖录像机，他们是靠这些起家的。

后来我回想自己的过去，好像也是这样的。当时我也没太多的规范，我当时和他差不多。以后你们年轻人要创业，要想真心创业，从第一天开始就要规范。所以我出门就带来这两句话，我就说这么多。"

在史玉柱看来，完善现代公司制度的价值远远比眼前的十几万元重要。在中央电视台财经频道《赢在中国》第二赛季晋级篇的第六场中，本场创业选手是薛浩岩，男，生于1980年，时任一家针对企业网络视频广告的互联网公司总经理。他的参赛项目是，网络视频广告资助平台，给中小企业提供视频广告的一站式服务。

史玉柱问薛浩岩："若一员工无意中损害了公司物品，按规定需赔偿10万元，而本人无赔偿能力，你怎么办？"

薛浩岩回答说："没有规矩不成方圆。我私下里会和他谈，因你是无意中损害的，钱我可以先帮你垫付，但名义上还是你赔偿，处罚的还是你。同时告诉他，只限我和他两人知道。"

在公司治理上，史玉柱还是非常认可薛浩岩的做法的。完善现代公司制度的价值远远比眼前的十几万元重要。史玉柱对薛浩岩关于公司制度的评价非常高。对此，史玉柱点评说：

> 管理无情人有情，我很同意你的观点。我们不能把人情看得比制度更重要。一个合理完善的现代公司制度，它的价值要远远比眼前的几十万块钱重要。这是一个优秀的现代企业必须具备的素质。如果我们靠人情来管理一个企业，那这个企业离破产就不远了。
>
> 人可以有情，但制度必须是无情的。这个问题，换成问我，我这样处理：首先判断这个员工对公司的贡献度大不大，重要程度如何，如果不重要就开除，让公司员工认识到制度的严肃性和管理的无情，如果这个人很重要，公司离不开他，那么我私下可以借钱给他，让他赔偿，但我绝对会照章处罚，否则对公司造成的损失将不能用金钱来衡量。因为一个公司最大的财富和价值宝藏——制度，被损坏了。我以前心肠特别软，但有一次柳传志跟我谈，他说他们公司规定，开会的时候迟到是要罚站的，迟到多长时间，就罚站多长时间。有一次，本来约定八点开会，结果突然市领导找他谈话，等回来参加会就晚了，按一般情理来说，柳传志也是为了对联想很重要的事才来晚了，

可以不罚站，但柳传志仍然坚持罚站，直到时间到了，他才坐下。这个例子对我触动很深，一个公司的规矩太重要了，谁都无权破坏。管理必须无情。

最后谈谈（我）对你的项目的认识，我还是提一些建议，第一，找到中小企业客户，比你想的要难，尽管他们为数众多，但是找到他们，你要花很大成本。我建议你在这上面好好动动脑筋，争取能有大突破。看你的资料，你曾经失败过两次，但你解释时，主要还是说外部原因，没有在自身方面挖掘过（原因），我觉得任何一次失败，无论有再多的客观原因，主观原因都是决定性因素，内因决定外因。还有一点，我觉得你对自己有点宽容。一个人要尽量对自己要求严格点。我的企业文化第一条就是：严于律己、宽以待人。只有这样才能提高自己，也只有这样公司内外才能和谐。

在史玉柱看来，只有完善现代公司制度，才是提升企业管理的一个有效手段。事实证明，如果企业的竞争力仅仅维系在一个领导者身上，这种发展是难以持久的。一个优秀企业要实现永续发展，就要使企业管理者的岗位上永远屹立着优秀的管理者，这就要靠制度。从企业角度来讲，这个制度就是现代企业制度、现代产权制度，它的核心是资产结构，或者叫产权结构。解决了制度问题，创新精神、经营管理变革等就会随之而来；有了好的制度，企业管理者的岗位上就可以永远屹立着优秀的管理者。①

① 佚名：《现代企业制度》，见 http：//wiki.mbalib.com/wiki/ 现代企业制度。

赏罚分明，评十佳也评十差

在史玉柱看来，初创企业要想发展，就必须要规范。史玉柱在做《征途》游戏时，高薪引进了一些网络游戏领域稀缺的研发人员，甚至给整个研发团队都提了较高的工资。

然而，史玉柱却跟研发人员表明："待遇可以很高，但是公司制度绝对要一视同仁，绝对不能搞特殊化。"

史玉柱在接受媒体采访时表示："这个20人研发团队在当时的薪水、所占期权与同行业相比是非常高的，相比《征途》游戏后来的其他研发人员更高。"

史玉柱强调："根据我的经历来看，给员工高工资时，实际成本是最低的，公司是主动的。在人才面前，若你比其他竞争对手给出的工资高一截，一年之后你回过头来看，你所获得的利润远远高于你所付出的成本。企业最高的成本不是给合格员工发高工资，而是还在给大量不合格员工发低工资。"

在史玉柱看来，在待遇上可以给予网络游戏领域稀缺的研发人员高报酬，但是在公司的管理制度方面，史玉柱则按照网络游戏行业的特殊性来对待，并没有因为这是网络游戏领域稀缺的研发人员而放宽要求。如：对于游戏开发进度的保密问题，史玉柱要求研发团队不能透露半点信息。为了保密，在研发过程中不能上网，不能打手机，不能与外界联系。

史玉柱强调，制度是无价的，谁都不能破坏。史玉柱曾经在1994

年接受记者采访时说过一段话："这一个阶段我看传记、党史比较多一些，最深的感受是，办一个企业与建立一个政党、一个国家非常相似，从党史中可以学到很多东西。任何群体达到一定规模之后都必须建立严密的组织，组织对于团体的作用是非常大的。"

史玉柱在接受媒体采访时坦言：

> 我觉得我的公司有一个好处：什么东西都放在桌面上。比如我们公司每年评先进，只要评先进，我一定也评落后。
>
> 我们每年评"十佳"分公司，市一级的"十佳"分公司。只要有"十佳"就一定有"十差"。"十佳"上去领红旗、发表演讲，很得意，还发奖金。那个"十差"，他也上去，拿个黄旗，也要发表领黄旗感言，然后现场交一点罚款，10块钱。主要是这种文化，大家也都习惯了。
>
> 比如我们搞销售的还有一个问题，叫"冲货"。我每年还要评十佳冲货"能手"，他把货卖到其他地方去了。我就会给他一个黄旗，他是冲货"能手"。这个"能手"是打引号的。这个"能手"冲货太多了，我就在经济上处罚他。
>
> 你冲了100万元的货到隔壁城市，我就把你100万元的销量划过去，总部再罚你100万元，用这种方法。就是这样处罚完了之后还有人冒出来，后来我就用这种方式：每年评十佳冲货"能手"，然后搞一个黄旗，而且规定，黄旗子必须挂在经理办公桌背后的墙上。我们还要定期查，有没有摘下来，如果

摘下来了，罚他款。这样，好的和坏的对称，其实挺好的。[①]

不可否认的是，只建立一个完善的制度还不够，还必须严格执行。为了提高巨人团队的执行力，强化执行过程的监督是保障。监督是约束，也是促进，实施有效的指导监督，对于提高企业执行力来说同样重要。

在巨人公司，“说到做到，严己宽人”这种高效的执行力已经成为巨人公司的一种执行力文化。然而，“说到做到，严己宽人”最初却是通过一种严格的制度促使员工形成的。

为了更好地强化制度，史玉柱成立了专门的督察部，旗下有一套严密的制度和专门的一批人，其原则是：“以客观所见为依据，大公无私，宁可错判，绝不放过。”

在脑白金项目前期，督察制度实施得相当严格，扣罚也非常严厉。可以说，巨人公司的市场人员几乎都被处罚过，甚至有些市场部月月被罚。

为了保证制度能够顺利地被执行，史玉柱要求这支纠察队伍一年四季都在对脑白金所在市场区域进行市场纠察，一旦发现巨人分公司弄虚作假或者隐瞒一些问题，史玉柱就会对分公司进行处罚。

当然，史玉柱除了授权这支总部的纠察队伍之外，巨人公司省级分公司也有一些人员在纠察队查市级市场，而市级纠察队又在纠察县级市场。正是史玉柱所设立的这种制度安排，让脑白金的营销团队在各终端上非常强势，从而保证脑白金项目的成功。

为了确保脑白金的成功，史玉柱强化了监督机制，要求各地分公司

---

①史玉柱：《史玉柱心得：一把手要抓细节》，见 http：//finance.sina.com.cn/zl/lifestyle/20130701/105515973145.shtml。

的经理对他们承担的责任实行“互保”。这样就可以使得担保人起到相互监督的作用。

在脑白金刚开始时，巨人总部规定分公司每天都必须维护其终端，而且还必须逐级上报各个终端的实际情况，一旦发现漏报、迟报情况，一天就罚款5000元。

由于是刚开始，有一个分公司经理根本就不把总部的制度当回事，一个月都没报一次，按规定应被罚15万元。可那个经理的工资根本不够罚，怎么办？史玉柱就罚担保人的工资，以及担保人的担保人的工资，一直连罚了5层，直到罚足15万元。大家终于怕了，再也没有人敢拿公司的制度当儿戏。[①] 就这样，史玉柱树立了制度的权威性，保证了公司运作制度的准确执行。

为了保证制度能够严格执行，史玉柱还给员工下发了一系列的管理手册，如终端管理手册，周边市场管理手册，办事处管理手册，经销商管理手册，等等，大多就几页纸。言简意赅，通俗易懂，却说一不二。

①《史玉柱：东山再起这些年》，载《楚天金报》2013年2月8日。

第二章
上市不只是为融资

从企业安全的角度，企业也应该上市。如果我们回头看看，在这个行业里，很多企业已经（沉）下去了，而且（沉）下去就起不来了，但上市公司抗波折的能力就高得多。在资本市场的支持下，企业有了强大的融资能力，抗风险能力自然会大大提高。

——巨人创始人　史玉柱

上市是为了管理更加规范

在一些创业者看来，创业的最终目的就是上市。其实，在史玉柱看来，这样的观点是不全面的。史玉柱认为，上市其实是为了让管理更加规范。

北京时间 2007 年 11 月 1 日晚上 9：30 分，时任巨人网络公司董事局主席兼首席执行官史玉柱在美国纽约证券交易所敲响上市钟，这钟声宣告巨人网络在美国成功上市。

据媒体披露的资料显示，巨人网络上市发行价为 15.5 美元，融资 8.87 亿美元。当日开盘价 18.25 美元，随即攀升到 19.1 美元。

史玉柱在接受媒体采访时表示，成功上市后的巨人网络其市值已高达 50 多亿美元，超过盛大（市值 27.6 亿美元）成为中国市值最高的网络游戏公司。同时，上市还造就了 21 个亿万富翁、186 个千万和百万富翁。[①]

不仅如此，巨人网络的上市，标志着中国本土网游的成功，标志着中国网游得到了世界的认可。据 IDC 公布的数据，中国网络游戏行业最近几年一直高速增长。2006 年中国网络游戏营业收入为 815 亿美元，比 2005 年增长了 735%。IDC 预计，2011 年中国网络游戏营业收入将达到 30 亿美元，相当于 2006 ~ 2011 年期间，中国网络游戏营收将保持 302% 的年均增长速度。[②]

面对媒体的采访，东山再起的史玉柱此次赴美上市，有着自己的考量，特别是此次巨人上市选择的是最为严格的美国纽约交易所。

史玉柱解释说："纽交所是全球规模最大、历史最悠久的交易所之一，它的规则非常严，这和我们做百年老店的战略是相符的。如果选择国内或香港上市，融资会更多一点，但想来想去还是去纽交所。在纽交所募集资金 10 个多亿，我们觉得已经不错了。"

其实，史玉柱赴美上市，其目的有三，见表 5-2-1：

---

① 佚名：《巨人超越盛大成中国市值最大网游企业》，见 http：//news.17173.com/content/2007-11-01/20071101224632111.shtml。

② 杨连柱：《史玉柱如是说——中国顶级 CEO 的商道真经》，中国经济出版社 2008 年版。

表 5-2-1　史玉柱赴美上市的三个目的

（1） 提升巨人的 抗风险能力	在史玉柱看来，赴美上市更多的考虑依然是提升巨人的抗风险能力问题。史玉柱在接受采访时坦言："企业大了，摆在第一位的便不是利润，而是企业的安全。"因此，赴美上市就是为了提升巨人抗风险的能力。史玉柱说："从企业安全的角度，企业也应该上市。如果我们回头看看，在这个行业里，很多企业已经（沉）下去了，而且（沉）下去就起不来了，但上市公司抗波折的能力就高得多。在资本市场的支持下，企业有了强大的融资能力，抗风险能力自然会大大提高。"
（2） 管理规范化	要想使得巨人更加安全地生存下去，就必须去最为严格的美国纽约交易所上市，这样更能促进企业管理规范化。史玉柱说："上市逼你走稳，公司管理将进入更为规范的阶段，以前是我一个人说了算，后来是公司的办公会议作决定，现在有了独立董事，管理会更加规范。上市通过法律等各种手段（对公司）形成制约，相对来说作出错误决策的可能性（大大）减小，董事会、股东大会等在组织安排上又多加了几道保护。"
（3） 改变 公众看法	赴美上市是为了改变公众对巨人的看法。由于史玉柱曾经失败过，这就使得公众对史玉柱创办的企业产生强烈的不信任感。史玉柱为了改变公众对自己的看法，其手段之一就是选择上市，并选择了较其他交易所更为严格的纽交所作为上市地点，成为首个登陆纽交所的中国网游股。史玉柱是这样解释的："（上市）把公司的规格提高了，在纽交所上市的公司从可信度等（方面）来说都是非常强的。要是跟一个公司做生意，上市的（公司）跟未上市的（公司），肯定要相信上市公司。如果是在A股上市的和在香港上市的，可能更相信香港的；在香港和在纽约上市的，肯定更相信纽约的，竞争力也会更高一些。一下子把自己拿到国际资本市场上。如果我们在A股上市能发（行）3倍或4倍的钱，但是我们觉得如果想做百年老店的话，还是来这里意义更大一些。"

对于史玉柱而言，赴美上市不仅是融资，更多的是让巨人这个企业更加规范。因为巨人凝聚着史玉柱的记忆和情感。

据了解，在 2007 年 10 月 12 日晚，美国证券交易委员会的官方网站上出现了巨人网络集团有限公司（以下简称“巨人网络”）的招股说明书。

该招股说明书显示，巨人网络是上海征途网络的控股公司，它将把征途旗下的网游产品打包赴纽交所上市。

为了去纽交所上市，史玉柱于 2006 年 7 月在开曼群岛注册了巨人网络科技有限公司，2007 年 6 月更名为巨人网络集团。

从史玉柱更名来看，“巨人”已经融进史玉柱的血液里。赴美上市就是为了更好地提升巨人的抗风险能力，从而打造成百年基业。

史玉柱说：“因为很规范，所以正式启动上市到美国挂牌只用了三个月时间。去年就在美国纽交所把它上市了。刚上市的时候时机是最好的，现在我们跌破行情价了，真是不好意思。但当时的美国股市是很牛的，那个时候就值那么多钱，因为美国是大牛市，当时中国股点也跌了一半，拦腰砍了一半，我们还没拦腰砍了一半，我们只跌了 1/3。上市之后，我们募集了 10.45 亿美元，当然有一部分是我个人的公司卖的老股，上市公司募集了 8 亿多美金回来。然后再加上每个月还有 1 亿美金的利润，所以这个公司账上的现金很多，我们花了之后还有 6 亿多美金。这个一上市之后，我们这个团队就共同致富了，当时我逼着他们买这个股份的时候，他们很不情愿，而当时 1 块钱人民币到我们上市的时候已经折合成 700 多块钱人民币了。所以当时有人花了 50 万元买的，现在也是上亿的身价了。所以公司一上市，我们公司身价上亿的有 17 个。”

上市的目标还是让公司继续强大

在很多初创企业中，企业上市的目的各有不同。而史玉柱认为，（巨人）上市的目标还是让公司继续强大。

当巨人成功上市后，史玉柱接受了媒体记者的采访。当记者问到"觉得挂牌上市那一刻最让他感到难忘的是什么"时，史玉柱回答："为巨人上市，纽交所特别挂了一面中国的国旗。在赛场上升国旗，运动员是最开心的，因为说明他完成了任务。我看到国旗觉得压力很大，因为要保持增长为祖国争光，就必须少睡觉，牺牲休假，要玩命干。"

在史玉柱看来，上市不只是为融资，而是为了巨人集团继续强大。这样的观点得到了搜狐创始人张朝阳的认可。

张朝阳说："任何一个公司不是为了上市而上市，上市只是一种融资手段，目的是为了把互联网这块蛋糕做得更大，为网民提供高质量的产品、优质的服务，以后为股东谋取更大的利益，当然要考虑最佳时机。"

不可否认的是，随着巨人的上市，史玉柱也实现了巨人发展的一个大目标。一些好奇的创业者可能会问，巨人上市后，史玉柱的目标是什么呢？而史玉柱的回答是："最大的心愿还是让公司继续强大，这是我的一个核心目标。"

毋庸置疑，让巨人继续强大，就必须让巨人规范化管理，从而使得巨人集团更加安全，远离危机。对巨人而言，要实现这些目标，捷径就是通过上市，而且是通过更为严格的纽交所上市。

对于这个问题，史玉柱有过自己的考量。史玉柱说："如果选择国内或者香港上市，融资会更多一点。"

面对这样的诱惑，史玉柱勇敢地拒绝了。史玉柱选择了一个让媒体瞠目结舌的决定——选择在要求更为严格的纽交所上市。

史玉柱选择纽交所上市，就是因为纽交所对申请上市公司的要求非常严格，特别是对申请上市公司的赢利和资产都有较高的标准。

一旦申请上市公司是非美国公司，其上市条件较美国国内公司更为严格。来自纽交所公布的数据显示，平均每年在美国上市的 200 ~ 400 家公司中，仅约有三成符合在纽交所上市的标准。史玉柱选择了在纽交所上市，也是意味着在以最为严格、最为规范的标准来衡量和约束自身的资本运作，从而提高自身的抗风险能力。①

研究发现，史玉柱在美国上市，可供选择的交易所其实还有其他的。当媒体记者问史玉柱为什么最后选择纽交所上市时，史玉柱是这样回答记者的问题的："纽交所当时是这么跟我们说的：凡是来美国上市的，只要是符合纽交所条件的，都来我纽交所。我们上来条件就够了，自然就来纽交所了。"

在史玉柱看来，正是因为在纽交所上市的门槛是最高的，所以才选择在纽交所上市。根据巨人网络的招股书中披露的财务报告显示，巨人网络 2007 年上半年净营收 6.87 亿元人民币，相比 2006 年上半年增长了 734.17%，甚至超过了 2006 年全年 4.08 亿元的营收。2007 年上半年毛利高达 6.2 亿元人民币，毛利率为 90.31%，运营利润 5.11 亿元，相比去年同期迅猛增长了 1076.76%，2007 年上半年运营利润率为

① 杨连柱：《史玉柱如是说——中国顶级 CEO 的商道真经》，中国经济出版社 2008 年版。

74.37%。从2006年第一季度开始，巨人网络净营收规模不断扩大，呈现出每半年翻一番的增长态势。2007年上半年净营收6.87亿元人民币，相比2006年上半年同期巨幅增长了734.17%。①

巨人拿出了一份让纽交所满意的财务报告，这主要与巨人网络一直强调自主研发有关。欧美等发达国家都比较注重对知识产权的保护。在国际投资人看来，自主研发、拥有自主知识产权的产品更值钱，无疑估值也就相对较高一些。

对于这个问题，史玉柱是这样解释的："有自主知识产权的他们会估价高一些。这个道理很简单，网游如果是代理的话，有一半的销售额要给别人，作为代理费交给开发商。但像我们这样的，毛利（率）就高，（达到）90%以上。不光是我们，只要是自主研发的毛利都高，基本上都是90%。"

在史玉柱看来，正是因为坚持自主研发，巨人网络赴美上市才募集了更多的资金，同时也取得了骄人的成绩——巨人上市创下了中国登陆美国最大的IPO民营企业；除美国本土外最大IPO的IT企业的"最大"纪录。

对于取得如此佳绩，史玉柱回应说："这个我还没有注意过，他们都告诉我，我们是最大的。现在看好像也真是这样。你看过去IPO盛大才募集到1亿多美元，网易只募集不到1亿美元，第九城市是几千万美元，完美世界是1亿8千万美元，算是多的了。过去没有超过2亿美元的，我们一上来就是10亿美元。"

巨人网络上市后，史玉柱接受采访时坦言："我最大的压力还是如

---

① 张韬：《发招股书　巨人网络拟登陆纽交所》，载《上海证券报》2007年10月15日。

何保持高速增长。”对于史玉柱而言，赴美上市只不过是为了规范巨人集团，提升巨人集团的抗风险能力。尽管巨人网络从成立至今一直是呈上升势头的，但是如何保证继续保持其快速的上升趋势才是史玉柱面临的棘手问题。

在史玉柱看来，尽管中国本土网游产业如今风头正劲，并度过了幼年期，但不容忽视的是，本土网游尚未壮大。巨大的产业版图上，既有中国本土公司之间日趋激烈的竞争，也有中国公司与外国公司间的利益周旋。在这番错综复杂的角力之中，中国网游产业仍然充满变数。①

史玉柱在接受媒体采访时坦言：“我们还是有很强的危机感的，为什么呢？因为现在上市的网游是越来越多了，竞争更加激烈。再加上我们现在又变成了最大的（IPO民营企业）之后，大量瞄准我们的人也就更多了。我们的确应该有强烈的危机意识。只有具有强烈的危机意识，才能够不被淘汰。我准备回去之后，星期天当天早上5点钟到，再休整休整，晚上开员工大会庆祝。第二天我们手机一律关掉，开始玩命搞研发，我的手机也关掉，带着队伍去搞研发，拼一下。”

当然，募集了巨额的资金，很多创业者都很关心巨人网络的发展目标是什么？在巨人网络的招股说明书中是这样说的：“我们的目标是成为亚洲最大的网络游戏开发和运营商。”

有很多企业上市大多数是圈钱游戏，史玉柱对此却说：“我们仍然是以自主研发为主，走精品战略。我们上市之后会继续加强研发，研发团队会在现在的规模上再增加一倍，我想到明年（2008年）这个时候

① 杨连柱：《史玉柱如是说——中国顶级CEO的商道真经》，中国经济出版社2008年版。

可以再增加一倍。我们希望以后还是做精品。第二个我们现在也在积极地和国外的一些大的制作公司接触，我们会利用中国的销售网络代理一些外国的产品，或者在国外收购一些有好的产品的企业。”

第三章
创业型小公司最好一个人持股

我很赞成你的方案，在公司小的时候，就一个人持股，其他团队成员就是靠现金激励，但是从你的叙述中知道，你周围有这么多雷锋，这么多人有创业激情，我总有种不祥之感，你要小心。

——巨人创始人　史玉柱

创业型小公司最好一个人持股

在中国，很多创业者往往都是“哥们式合伙，仇人式散伙”。究其原因就是因为股权控制问题而导致企业面临重大危机。

面对这个棘手的难题，史玉柱的解决方法就是，在公司小的时候，就一个人持股。2001 年，东山再起的史玉柱依然坚持这个原则。

对此，史玉柱在接受媒体采访时说：“民营企业，创业初期，股权一定不能分散。到一定规模之后，可以股权分散，尤其上市之后，股权更应该要分散。但是，中国的民族特性决定了，在创业初期的时候，不能像五个哥们儿，每个人 1/5 的股份——这种公司十有八九是要出事的。内部会斗争，只要情况一好转，如果公司小的时候、没赚钱的时候，大家都很好，如果一赚钱了，内部就很容易分裂。”

在中央电视台财经频道《对话》节目中，史玉柱依然肯定着股权集中的重要性。史玉柱说：“民营企业，开创初期不能股权分散，凡股权分散的企业，最后只要这个公司稍微一有起色，从赚了第一笔钱开始，马上就不稳定，就要开始闹分裂，很多企业垮（掉），不是因为它长期不赚钱，（而）是因为它赚钱了，马上就垮掉了。”

万通董事长冯仑对此表示赞同，他说道：“企业第一阶段都是排座次问题，第二阶段是分经营问题，第三阶段是论荣辱（问题），所以我同意史总的意见。一开始产权相对集中，有利于企业组织的稳定。”

在中央电视台财经频道《赢在中国》第 2 赛季晋级篇的第 4 场中，史玉柱的点评更是击中要害。史玉柱说：“你一个人持股，然后其他骨干没有股份，这一点我非常赞同。”

在该场中，创业选手贾豫，男，30 岁，来自陕西，硕士学历。2002 年，贾豫创办了一家汽车服务用品公司，他任总经理。而创业选手贾豫的参赛项目是，车友汽车生活馆连锁的连锁加盟计划。

贾豫是这样介绍自己的创业项目的：“就是要在全国大中型城市开设小而精、小而专的汽车用品服务连锁机构。这个连锁机构可以自主经营，也可以建成连锁加盟的方式来进行运营。在为消费者提供汽车用品的同时，还为他提供一些汽车衍生品的服务。”

史玉柱给予了贾豫非常中肯的点评，其点评如下：“你一个人持股，然后其他骨干没有股份，这一点我非常赞同。如果你团队的四个人分别持股 1/4，公司一旦取得成功，很容易在内部出问题。我很赞成你的方案，在公司小的时候，就一个人持股，其他团队成员就是靠现金激励，但是从你的叙述中知道，你周围有这么多雷锋，这么多人有创业激情，我总有种不祥之感，你要小心。”

所有“根公司”必须自己一人独资

在创业企业中，因为股权问题而分家的企业新闻屡屡被曝光。也许像王文京、希望集团四兄弟、黄光裕等企业家在创业之初，谁都没有想过要分家，但是“道不同，不相与谋”，他们最后都还是因为有各自的理想和对公司的不同理解而分手。因此，在创业之初，各个创业人都应该目标明确，把各自的目标和发展方向统一。[①]

在控制权问题上，史玉柱也遭遇过逼宫的窘况。1989 年 8 月底 9 月初，史玉柱到深圳下海经商没有多长时间，由于刚开始，经验又不足。友人给史玉柱推荐了 3 名员工。然而，让史玉柱没有想到的是，到 1989 年 10 月，其中一名员工开始对所发薪水不满足，对史玉柱说：“我们每个人都应该有股份，大家应该将赚到的钱分掉。”

此刻，资金缺乏的史玉柱当然是不可能答应这名员工的建议。史玉柱还是力主把赚到的钱继续投放广告。经过慎重的考虑，史玉柱对那名提议要股权的员工说：“股份的事情可以商量，但每人 25% 不可能。”

在史玉柱看来，给那名员工的股权绝对不超过 25%，给 10% ~ 15% 的股权还是可以的。史玉柱说：“软件是我开发的，启动资金是我出的。我至少应该控股。可以给每人 10% ~ 15%。”

做出让步的史玉柱决定给予三名员工每人 10% ~ 15% 的股权。然而，

---

① 佚名：《创业型企业应该“先小人，后君子”》，见 http：//www.cyzone.cn/a/20080928/48691.html。

其中两名员工嫌史玉柱给的股权太少，史玉柱在已经不可能再作出让步的情况下，怒摔了两台 IBM 电脑。

三名员工中，由于负责财务的女员工没有参与这次股权纠纷，最后这两名员工也没有拿到他们想要的股份和收益，只好灰溜溜地带走了剩下的几台电脑和打印机。

尽管这次股权风波平息了。但是经历过这场风波的史玉柱却坚信，在其后的创业中，所有的“根公司”必须是史玉柱自己一个人独资。史玉柱说：“我从此再不搞股份制了。母公司一定是我个人所有，下面的公司我可以考虑控股。”

史玉柱在《史玉柱自述创业历程》一文中回忆说：

> 经过两个月的时间，我们算了一下，我们已经赚了 100 多万元了。
>
> 这时候我们公司就有 4 个人了，刚创业的时候我们只有两个人，一个是我，还有另一个就是蔡总，也是深圳大学的，那年刚毕业的。这时候有 4 个人了，我们公司内部就发生了分歧。”
>
> 我们公司现在有 100 多万元资金了，下一步应该干什么。我就主张——我那时候胆子还真挺大的——这 100 多万元干脆就不要了，全部都砸到广告里算了。
>
> 因为那时候市场正在扩大，如果砸到广告里面，打个 100 多万元的广告，相信销售额会增长得非常快。当时有两个人就不同意，说赚 100 多万元我们应该把这钱分了。因为那时候我们都是穷学生，突然（赚了）100 多万元之后，确实心态会（受到冲击），对每个人的心理冲击还是很大的。从前（我们）见 100 块钱（的机会）都不是很多，突然来了 100 多万元，这就

使我们内部发生分歧了。

后来那两位就离开了，离开的时候还把我的电脑也抱走了，也给了他们一点钱。所以后来，我觉得民营企业的创业初期，股权一定不能分散。我那时候还没有明确股权，因为我们那时候本来不是公司。到一定规模之后，企业可以股权分散，尤其上市之后，股权更应该要分散。但是，中国的民族特性决定了，早期的时候，在创业初期的时候，不能像五个哥们儿，每个人1/5的股份——这种公司十有八九是要出事的。内部会斗争，只要情况一好转，如果公司小的时候、没赚钱的时候，大家都很好，如果一旦赚钱了，内部就很容易分裂。

后来他们两个离开之后，我们公司还是继续发展。我真的把那100万投到《计算机世界》报社去了，投到《计算机世界》报社之后，就一个月我们的销售额就上百万了。所以把我们的规模一下子就拉起来了。①

这次经历更加让史玉柱认定："中国人合作精神本来就很差，一旦有了股份，就有了和你斗的资本，会造成公司结构的不稳定。"

史玉柱坦言："后来我就给我的高管们高薪水和高奖金，就是给比他应该得到的股份分红还要多的钱，但是不给股权。我认为，这个模式是正确的，从此以后，我的公司就再没发生过内斗。"

"现在创始人分家的案子真是太多了，很多都闹上了刑事庭。"北京市海淀区人民法院民事庭的董法官很有感触。董法官身处的海淀区，正是中关村很多中小型创业企业集中的核心地带。"看了太多的朋友反

① 史玉柱：《史玉柱自述创业历程》，载《中国企业家》2013年5月26日。

目、哥们成仇的例子，其实当初如果能做到防患于未然，大家完全可以好聚好散。”

史玉柱也意识到，当创业企业很小的时候，一人独资能够使企业安全和高度地发展，同时也会遇到一个问题——股权过分集中，在企业稳定发展的阶段对企业发展也会有着不利的影响。史玉柱说：

> （珠海）巨人没有及早进行股份制，直接的损失是最优秀的人才流失。更严重的后果是，在决策时没人能制约我。以致形成家长制的绝对权威，导致我的一系列重大决策失误。
>
> （珠海）巨人的决策机制难以适应企业的发展。巨人集团也设立董事会，但那是空的。我个人的股份占90%以上，具体数字自己也说不清，财务部门也算不清。其他几位老总都没有股份。因此在决策时，他们很少坚持自己的意见。由于他们没有股份，也无法干预我的决策。总裁办公会议（虽然）可以影响我的决策，但拍板的事基本由我来定。
>
> 现在想起来，制约我决策的机制是不存在的。这种高度集中的决策机制，在创业初期充分体现了决策的高效率，但当企业规模越来越大、个人的综合素质还不全面时，缺乏一种集体决策的机制，特别是干预一个人的错误决策乏力，那么企业的运行就相当危险。[①]

在权衡利弊之后，史玉柱还是坚持所有“根公司”必须自己一人独资。尽管股权集中有其弊端，但是史玉柱认为股权的过分分散，对企业

① 史玉柱：《巨人的四大失误》，载《竞争力》2010年第6期。

的发展也有一些坏处。

对于新浪较为分散的股权，史玉柱发表了自己的看法："太分散了对企业长期发展不好。我觉得它（新浪）现在需要一个大股东，就像张朝阳、丁磊那样，但它现在形成大股东很难了。那些很有钱的，进来对它帮助并不大，我觉得它需要一个灵魂人物，这个灵魂人物是个大股东。它现在盘太大了做不到。"

史玉柱进一步总结了股权在企业发展的各个阶段的作用。史玉柱说："企业小的时候，就是一个人决策。企业中等规模的时候，它就要靠一个小的集体来决策。企业再大了，就按上市公司的规则来做。最终一个企业真要做大，它必须要把这个公司社会化，就是上市，让社会上成千上万的人持有它的股份。"

在史玉柱涉足网络游戏行业后，他给旗下开发和运营网游的征途公司近20名核心员工股份，以保证这些员工不会流失。这也是史玉柱第一次采用股份制的方式和他们合作。但母公司——巨人公司仍是他独资的。巨人网络在上市之后，才使股份制发挥了它最大的作用。[①]

① 赵越：《史玉柱商道真经》，新世界出版社2009年版。

第四章
创业者要脚踏实地

身段放低点，脚踏实地的人，一定比那些把头仰得高高、自认为不得了的，更容易成功。

——巨人创始人　史玉柱

失败往往跟张扬有关

在创业的道路上，创业者不仅要仰望星空，还要脚踏实地。因为对于任何一个创业者而言，俯下身来，踏踏实实地做好企业的经营才是最重要的事情，这不仅能够积累经营管理经验，同时还能将初创企业做大做强，或许这是一个更好的选择。

史玉柱的成功离不开“脚踏实地”。在媒体的报道中我们经常能看见这样的画面——闪亮的光头，标志性的红色T恤衫，白色裤子，白色休闲鞋。大多数场合，史玉柱的这身装扮都“独树一帜”，甚至有点孤高的意味。而他最后一次以巨人网络CEO的身份登场，仍然是上述“老三件”。[1]

在媒体的报道中，企业家大都是身着整洁的西服和皮鞋。然而，史玉柱却摒弃了这样的做法。就连在2013年4月9日晚间的《仙侠世界》发布会现场上，史玉柱依然是红色T恤衫。不过，史玉柱的这抹红色并不“孤单”。在史玉柱的身旁，巨人的其他高管团队，全部穿着印有“仙侠世界”标志的同款红色T恤衫，使得巨人的高管团队相得益彰。

或许一些创业者会问，如今的史玉柱俨然是一位成功的企业家，为什么还如此低调和脚踏实地?

不管是面对媒体的质疑，还是面对诸多创业者的打破砂锅问到底。史玉柱都提到：“一个人的真正高度不是他现在达到的高度，而是他惨遭失败后反弹起来的高度。”

其实，史玉柱的上述话语让很多人记忆深刻。在史玉柱看来，惨遭失败后反弹起来的高度才是如今能达到的高度。张扬的个性会加速企业走向死亡。

在史玉柱的创业经历中，20世纪90年代他就有过风光无限的成功，甚至还有些轰轰烈烈。不过，史玉柱也遭遇了令人瞩目的失败——当初计划修建72层的巨人大厦没有如愿完成，相反还欠下了2.5亿元的外债。

当史玉柱遭遇沉重打击后，远离媒体的史玉柱却东山再起，这也引起诸多赞扬和诟病的报道。

面对失败与成功，在2013年4月9日晚间的告别会上，东山再起的史玉柱却主动提及自己的创业经历：“到今天为止，我的实职全部清干净，我15年来两次创业，总共干了（保健品、网络游戏、金融投资）

① 黄远：《巨人史玉柱“遗产”：告诫青年创业者脚踏实地》，载《第一财经日报》2013年4月12日。

三块业务……”

史玉柱不仅回顾了自己的创业史，还毫不讳言地谈起了此前的重大失败：“失败往往跟张扬有关，性格以及各个方面的张扬。刚刚创业时有一段时间，并不低调，然后就摔倒了，失败了。”

在史玉柱看来，正是自己当年那处处“张扬”的个性，才导致了他斥资 2.5 亿元在珠海修建 72 层的巨人大厦的行为。然而，72 层的巨人大厦正常完成需要 12.5 亿元左右的资金，而巨人当时只有两亿元的资金。最终由于资金链断裂，将巨人集团引入了一个难以自拔的困境。

在 1996 年，“巨人大厦”只是修建到第一层大堂。恰逢资金全面告急。原定 1997 年初修建 20 层的巨人大厦未能按期完工，而众多楼花购买者纷纷要求退款，这就使得资金紧张的巨人集团雪上加霜。

事情发生后，史玉柱曾这样告诉媒体：“企业没有现金，像人没有血液一样，没法生存，一个礼拜之内，‘巨人’迅速地垮了，并欠下了 2.5 亿元的债务，从休克到死亡，过程非常短。”

失败后的史玉柱一改往常的张扬。尽管几年后他还清了巨额的外债并再次拥有数亿元的资产，仍然一如既往的大胆，但是却变得异常的低调和谨慎。

“吃一堑长一智，我现在感觉还是比较低调的。”在与接受媒体记者采访时，史玉柱坦言称，“身段放低点，脚踏实地的人，一定比那些把头仰得高高、自认为不得了的，更容易成功。”

“人的心态降低，更容易活得开心；如果把自己摆在较高的位置，会活得很累。”

史玉柱为此还笑谈：“为什么乌龟活得比麻雀长？因为麻雀很好动，老是在空中飞；而乌龟很宅、老是不动，能活一千年。”

作为脑白金时期就追随史玉柱创业的“老将”、巨人网络总裁刘伟对此感触颇深："他大起大落过，这几年，明显感觉他变得平和了。"

从刘伟对史玉柱的评价可以看出，现在的史玉柱非常脚踏实地，非常低调。媒体报道说："这位从安徽怀远走出来的青年，最后给自己的定位是低调回归。转了一圈，从屌丝青年到屌丝大叔，变的是岁月，不变的是史玉柱。"①

言及此，史玉柱笑得释然："现在，我又回归到原点。"而史玉柱的回归到原点还是遭遇重大失败后悟出的道理——脚踏实地。

比10年前的巨人集团更加务实

在很多创业论坛上，一些企业家时刻都在提到"跨越式发展"，尤其是很多创业者，每天都在思考怎么实现跨越式发展。似乎只有"跨越式发展"才是这个时代的发展主流。

在这就使得"脚踏实地"成为一个阻碍企业发展的代名词。在史玉柱看来，这样的做法是不可取的。史玉柱认为，只有脚踏实地地做好企业的核心业务，随着核心业务的不断发展和壮大，企业才有可能实现"跨越式发展"。

针对许多创业者盲目追求速度的问题，史玉柱谈道："10年了，我和团队没有犯过一个战略性错误，只是比10年前的巨人集团更加务实。"2007年，史玉柱在接受记者采访时曾说："1997年摔过以后，我

① 黄远：《巨人史玉柱"遗产"：告诫青年创业者脚踏实地》，载《第一财经日报》2013年4月12日。

相信我和团队比以前更务实。务不务实？结果说了算。”

事实证明，正是史玉柱的务实才赢得了二次创业的成功。在史玉柱的创业中，结果说明了一切问题。史玉柱坦言：“创业初期（也在想）为什么要创业？其实我的想法也挺庸俗，就想赚钱，过一点富裕生活。”

其实，拥有像史玉柱这样创业想法的人比比皆是。因为想改变现状，想过富裕一点的生活激起了一些创业者的创业热情。这样的创业想法非常正常。而史玉柱笑称，当时可能赚钱速度来得太快了，迅速跃过了这个阶段；现在看来，金钱就是一个数字，它是衡量你事业成功的指标。

显然，在巨人集团，史玉柱不仅创造了巨额的金钱财富，而且还打造了一个坚强的高绩效团队，烙下了非常明显的“史式经营风格”。例如：在巨人高管团队的刘伟、纪学峰、丁国强的描述中，重视团队执行力、关注用户习惯、同时期只聚焦一个项目等，已经成为重要的“史氏遗产”。

史玉柱的做法有点像电视剧《亮剑》中的独立团团长李云龙——事实证明，一支具有优良传统的部队，往往具有培养英雄的土壤，英雄往往是由集体形式出现而不是由个体形式出现的，理由很简单，他们受到同样传统的影响，养成了同样的性格和气质。例如，第二次世界大战时，苏联空军第十六航空团，P-39飞蛇战斗机大队，竟产生了二十名获得“苏联英雄”称号的王牌飞行员；与此同时，苏联空军某部施吴德飞行中队产生了二十一名获得“苏联英雄”称号的模范飞行员。任何一支部队都有自己的传统，传统是什么，传统是一种性格，是一种气质，这种传统和性格是由这支部队组建时首任军事首长的性格和气质决定的，他给这支部队注入了灵魂，从此，不管岁月流逝，人员更迭，这支部队灵魂永在！[①]

在如今的巨人集团，“不管什么行业，一定要充分了解目标消费群。”可以说，史玉柱能东山再起，离不开他“充分了解目标消费群”的理念。当遭遇失败后，史玉柱就凭借“脑白金”东山再起。史玉柱回忆说，在“脑白金”研发前，巨人集团曾花费了4个月的时间专门调查。

而史玉柱却在湖北省武汉市的一个公园里坐了一下午。在这期间，史玉柱“就是看老太太老大爷们下棋”。

史玉柱看看老人下棋的目的就是“了解他们想什么。”而这些下棋的老人家告诉史玉柱：“保健品也要吃，但是自己舍不得买，如果子女送了就吃。”

史玉柱为此提炼了“今年过节不收礼，收礼只收脑白金”的广告词。于是，每逢中秋、春节，电视上都出现了“脑白金”送爸妈的送礼广告。正是史玉柱深入的调查和脚踏实地的营销，使“脑白金”取得了意想不到的成功。

同样，在决定进军网游行业之前，史玉柱曾整夜泡在游戏中，寻找吸引玩家投入时间和金钱的诀窍。2006年，网络游戏《征途》上线的新闻发布会上，史玉柱冲着台下喊：“我是一个老玩家，20多年前，就在玩游戏。我懂游戏。”在此后的《征途2》以及新上线的《仙侠世界》中，类似寻找“用户体验”的行为他也做得淋漓尽致。[②]

“（史总）投资民生银行，会从董事会成员一直调查到地方支行行长、副行长甚至基层储蓄员，每次出差到一个新地方都会去考察当地的

---

① 都梁：《亮剑》，解放军文艺出版社2005年版。

② 黄远：《巨人史玉柱“遗产”：告诫青年创业者脚踏实地》，载《第一财经日报》2013年4月12日。

民生银行。”刘伟说，史总并不擅长语言表达，他的创业经验并不会一套一套地给你讲；但在与他的合作的实际工作中一定能学到很多。

当被记者问及有何重要经验可以告诫年轻创业者时，史玉柱脱口而出：“脚踏实地。”

创业精神是创业成功的原动力

2013年，似乎是创业大师们“金盆洗手”的一年。2013年4月19日，创业大师史玉柱卸任CEO一职；2013年5月10日，马云卸任CEO一职。

2013年4月9日晚，巨人网络创始人史玉柱对外宣布辞去CEO职务，该项决议将于2013年4月19日生效。史玉柱将留任巨人网络董事会主席一职，董事会将在2013年4月19日宣布新CEO的任命。

史玉柱在声明中表示：“从我们自主研发的第一款多人在线角色扮演游戏《征途》免费版上线到公司登陆美国纽约证券交易所并持续发展至今，公司已成为一家成熟的上市公司，我一直认为巨人网络是凭借其核心竞争力及独特的企业文化与制度而成为一家实力雄厚的网游公司，并非依靠我个人能力。”

史玉柱同时承诺，将继续担任公司董事会主席一职，对管理团队和研发人才给予全力的支持。

事实上，尽管史玉柱已经功成身退，但是却依然傲立在商业潮头。作为传奇式人物，史玉柱成功于那个资源紧缺的时代，他曾作为中关村一代年轻人的偶像备受追捧，满身光环。史玉柱的失败，也成为众多企业反思的教材和被人诟病的载体，败走麦城的史玉柱在竞争激烈的今天重新崛起，几乎让所有的人都站在了欣赏、赞赏他的一边。①

改革开放以来，我国高速、强劲的经济发展为创业者创造财富的活动提供了丰富的土壤和环境，无数关于冒险、机会、财富创造与成功的故事向人们演绎着一个又一个创业者的传奇，史玉柱就是这些创业家中最具传奇色彩的典型人物之一，他的传奇经历，向我们生动地展示了一连串关于创业精神和财富创造的故事，在他身上，我们看到了一种不屈的、顽强的精神熠熠生辉，这就是创业精神——财富创造和经济发展的原动力。②

当媒体记者问史玉柱“脑白金真的这么赚钱？”的问题时，史玉柱的回答很简单：

> 药品、保健品这类产品有三个成功的因素，少一个都不行。第一个因素是产品好不好首先要看主流的观点是不是站得住脚就连维生素也有个别专家说它不好，但关键要看主流观点。其次是要看消费者服用之后能不能立刻感觉到效果。否则，形成不了好的口碑，产品对广告尤其是功效广告会特别依赖。即使打一段时间广告也赚不到钱。第二个因素就是要有好的策划方案。中国好的产品很多，并没有做成功，这就和策划方案有关了。第三个因素是好方案要有好的团队去实施。
>
> 当时我们本来想靠这个产品去救珠海巨人，因此就要选一个特别好的产品才行。在学术界我们查过8000多篇论文，有7000

① 张映红：《史玉柱：创业精神缔造财富神话》，载《证券日报－创业周刊》2007年10月26日。

② 张映红：《史玉柱：创业精神缔造财富神话》，载《证券日报－创业周刊》2007年10月26日。

多篇论文对它是充分肯定的。理论上站得住脚，这个没有问题。更重要的是，保健品最怕别人吃过之后说“吃和不吃一个样”。能让消费者服用之后立马有感觉的产品本来就少，当时我们差不多有近10种这样的产品备选，选中它就是因为见效最快。[①]

在史玉柱看来，药品、保健品这类产品有三个成功的因素，而大多数创业者认为，只要产品好就行了。这就是史玉柱能够把脑白金做好的一个重要因素。

史玉柱的成功经验给诸多创业者提供了一个可以借鉴的范本，因为要想成功创业就必须对某些潜在巨大商机具备天生的敏锐感和判断力。

研究发现，对于任何一个创业者而言，之所以能够创业成功，在很大程度上取决于创业者对某些潜在巨大商机的敏锐感和判断力。正是由于创业者具备这种“精细和敏锐”，在抓住眼前稍纵即逝的巨大商机时常常先于常人，从而为采取行动赢得先机。

企业永远做一个该做的事情

善于利用各种资源，也包括政府资源，这对任何一个企业的成长都十分重要。但是实际上，政府提供的资源是有限的，对于创业者来说，关键是要提升企业的竞争优势，而绝不能把希望全都寄托在政府的帮扶

① 佚名：《史玉柱和他的“脑白金”“黄金搭档”》，见http：//finance.qq.com/a/20081212/002864.htm。

上，否则将非常危险。史玉柱当年就在这个方面吃过大亏。

谈到珠海巨人集团，读者一定能想起巨人大厦。谈到巨人大厦，很多读者会不约而同地认为，珠海巨人集团的危机，就是在于巨人大厦层层的加码上。

引发巨人集团危机的原因表面上看起来与巨人大厦层层加码有着重大关系。巨人大厦从最初设计的18层，到38层，再到后来的54层、64层，直到70层，最后因为资金链断裂，从而造成整个巨人集团陷入重重危机。

当巨人集团遭遇重大危机后，史玉柱接受《南方周末》记者的采访时曾这样说："现在想起来，制约我决策的机制是不存在的，这种高度集中的决策机制，尤其集中到一两个人身上，在创业初期充分体现了决策的高效率，但当巨人规模越来越大、个人的综合素质还不全面时，缺乏一种集体决策的机制，特别是干预一个人的错误决策乏力，那么，企业的运行就相当危险。"

究竟是什么原因驱使巨人大厦从最初设计的18层加到最后70层的呢？

史玉柱在接受媒体采访时坦言说："……从64层加到70层，是我一个人一夜之间做出的决定，我只打了个电话给香港的设计所，问加高会不会对大厦有影响，对方说影响不大，我就拍板了。"

其实，"拍脑袋决策"的事情每天都在发生，只不过是没有被媒体和研究者揭示而已。反观上述案例，一个夜晚、一个电话、一个公司总经理，一个关系到企业生死存亡的重大决策就这样随意地产生了。

众所周知，珠海巨人集团的倒下与史玉柱修建巨人大厦有着很大的关联。可能细心的读者会问，史玉柱为什么要修建一座超出公司财力、物力，并且可能整个公司再有100年也用不了的巨人大厦呢？

很多人觉得这样经营企业就像孩子过家家。这样搞企业，失败也在所难免。而我们从史玉柱接受《mangazine·名牌》的采访的访谈中不难看出史玉柱作出这个决定的真正原因。

mangazine·名牌： 我们查了一些过去的资料，发现当时你们要盖楼的时候，珠海市政府一再给予了你们很多的优惠政策，这中间有原因吧？

史： 去年（2005年）我拜访过梁广大（原珠海市市长）一次，他现在退休在家。他说，当时接受了北京给他的一个任务，在珠海重奖科技人员成功了之后（“重奖”事件当时引发了全国轰动），北京方面希望珠海还能树一个典型，一个“中国大学生留在本土创业”的典型，原因是当时成绩最好的大学生多数都出国了，而且一出去就不打算回来，这样中国人才的浪费很厉害。梁广大搞的重奖科技人员，在全国重视知识分子方面有实质性的推动作用，而北京希望树立的这个典型，梁广大选中的是我。

mangazine·名牌： 当时希望这个典型怎么树立呢？

史： 意思是，你建一个标志性建筑，轰动珠三角和全国，于是我们就计划做全国第一高楼。

mangazine·名牌： 珠海市政府具体给了一些什么优惠条件？

史： 土地非常优惠，几乎是白送的。本来是1万多元每平方米，后面又给了我们3万多平方米的地。

mangazine·名牌： 还记得当时珠海的地价吗？

史： 当时实行的是楼面地价（建筑面积摊到的地价），珠海应该是全国第一个这样计算的，市面价格在2650元/平方米，当时政府给我们的是125元/平方米。

mangazine · 名牌：这会不会是促使你们进入房地产业的主要原因?

史：准备盖的时候(1992年),正是中国房地产最热的时候，当时盖楼，是不愁卖的，只要有块地，有图纸就能卖了。但当我们动工的时候，宏观调控就来了，对卖楼花有限制，必须投资到一个数额才能拿到预售许可证,开始盖的时候还没有限制，后来越来越规范，限制越来越多。所以我们没办法把这个项目搞下去了。

mangazine · 名牌：但巨人大厦并没有盖太高，现在能看到的也只是地表上的三层而已。

史：这个你们可能不知道，盖楼最花钱的在地下，我们相当于地下要盖18层，地下盖18层相当于地面上盖50层。我们一共打了68根桩，最短的桩打了68米，最长的桩打了82米，而且地下20米之后都是岩层。之后我们还建了2万多平方米的地下室，大堂高是17米，也都是很花钱的，我们还往上又建了三层。

mangazine · 名牌：当时做到没有钱的时候，你们已经投了多少钱进去?

史：两亿五千万元。①

从史玉柱这个个案来看，热衷于把企业的能力与政府优惠政策相结合的肯定不止史玉柱一个人，因此倒下的企业更是不在少数。

---

① Mangazine · 名牌：《史玉柱：一天三包香烟的日子》，见 http：//www.jobinhe.net/news/yaowen/108849.html。

第六部分

创业的最大挑战是抵制诱惑

机遇的背面是风险，这是经济活动的基本规律。对于创业者而言，在具备了一定的资金、技术、团队之后，能否审时度势地评估风险与收益往往意味着创业的成败。

——巨人创始人　史玉柱

第一章
创业失败是因为没能抵挡住诱惑

在现在的经济形势下，创业最大的挑战不是能不能发现和把握机遇，而是能不能抵制诱惑。

——巨人创始人　史玉柱

宁可错过一百个机会，也绝不错投一个项目

研究发现，在做大做强初创企业的过程中，无论是在初创阶段，还是做到一定规模后，作为创业者都可能面临着举不胜举的机会。这些数不清的机会极可能让创业者为之心动、为之疯狂。为此，作为创业大师的史玉柱，在公开场合曾告诫创业者，作为创业者必须提高警惕，要正确地判断这到底是机遇还是诱惑。这不仅需要创业者在机会面前保持清醒和理智的头脑，还要求创业者必须拥有辨别其是机遇还是诱惑的能力。

众所周知，在中国，创业者失败不是因为机会少，而是因为机会太多而导致的。这个观点，史玉柱最有发言权。

史玉柱在谈到创业失败时，总是会强调理性地抵挡机会的诱惑。史玉柱说："我有一个信条：宁可错过 100 个机会，不可投错一个项目。这跟（我）过去的思路是完全不一样的，过去（我）是绝不放过任何一

个机会。近10年间，我只做了三件事：做保健品、买入银行股票、做网游。而在保健品当中，（我）几年时间只做了脑白金一个产品。出于谨慎的考虑，很早就研制出的黄金搭档，直到2002年才最终被推出。如今，我手里仍有十几种新产品，但我一直不肯推出去，因为没有必胜的把握。”

在史玉柱看来，在现在的经济形势下，创业最大的挑战不是能不能发现和把握机遇，而是能不能抵制诱惑。[①]

史玉柱告诫创业者说：“机遇的背面是风险，这是经济活动的基本规律。对于创业者而言，在具备了一定的资金、技术、团队之后，能否审时度势地评估风险与收益往往意味着创业的成败。”

史玉柱回忆说：

软件方面我们除了WinXP软件，又做了其他的软件，像Poss，电脑商务的；又做了会计软件、教育软件等，也做了电脑，包括手写电脑。到了珠海，等于上了一个台阶。当时珠海政府也很支持我们，一看到我们发展得很好，还给了我一个科技重奖，当时重奖科技人员给我发了100多万元奖金，一套高级套房，珠海的领导当时把我们作为高科技的榜样。

可能因为这些，公司也发展得很顺利，然后知名度好像也挺高，所以这时候危机就已经埋下了（种子）。这时我本人就以为我做啥事都能做成，因为从创业的1989年开始，到珠海那段时间，在这几年的时间里，我想研发成的都研发成了，想销售的产品都销售成了，（我）就没有失败过，深以为自己想

① 史玉柱：《史玉柱：现在的关键是抵制诱惑》，载《创业家》2009年6月17日。

做啥都能做成。所以在这种环境下就开始走了多元化的道路，这是一条不归路。

一个企业必须在一个行业里形成你的核心竞争力，如果你搞多元化，你就无法形成你的核心竞争力。所以我们只在这个行业做，我相信在这个行业会做得很好。当时，我们一下子跨了很多行业，我都记不清有多少个行业了。

我印象比较深的有几个，保健品，当时做了脑黄金。第一次做保健品还真是把脑黄金也给做成功了，到巨人集团危机爆发之后我们核算，脑黄金两年时间给我们创造了3亿的利润。

脑黄金做成功后我们更加膨胀了，保健品一下就做了12种，然后又做了十几种药品。电脑软件品种也进一步增加，硬件也做了很多。除此之外还做了服装、化妆品……反正多了去了。当时还买了很多药厂，尤其是做了房地产，盖了巨人大厦。我们那点钱不够这么折腾。因为走了多元化，每个行业都做得不精，最后都毫无例外（失败了），只有脑黄金是成功的，其他的几乎全失败。失败的原因，最主要的是没有深入行业进行研究，不能形成核心竞争力，很多都是拍脑袋拍出来的。

我举个例子，当时我们做服装，服装做了很多，其中也做了领带。珠海巨人集团危机爆发的时候，我们一翻仓库，发现我们仓库里的巨人领带够我们打四年都打不完。

后来我们发现卖不掉了，全部都给自己打。所以那几年我还穿西服，我打的全是巨人领带，我们公司的所有人都发很多领带，包括巨人衬衫也是，卖不掉了都是给自己人穿了。

因为多元化，使资金分散到各个领域里去，最终就失败了。失败的原因99%是我们自己的问题，当然也有外部环境的原因，当时中国进入宏观调控，消费能力变弱了，所以这种情况下，我们垮得更快。资金流开始出问题了，公司资产还是正的，但是没有现金了。所以这时候我们的危机就（开始浮现了）。外界都以为我们还很好，实际上这个时候，公司已经空了，虚了。①

史玉柱说："从我个人的经历来说，经历过一次失败之后，我最大的一个体会就是不要做超出能力的事，不做没把握的事。我现在常常告诫自己，宁可错过一百个机会，也不要犯一个错误。2001 年以后，每天很多项目找来要我们投资，其中也有好项目，但我们都没有动，冤枉了就冤枉了。现在回头看来我们确实错过了几个好项目，但也回避了很多后来被验证非常失败的项目。"

在一个创业论坛上，一位广东创业者问史玉柱一个"餐饮扩张当快当慢？"的问题："我创业三年了，主要在餐饮领域，在广东我已经拥有约 40 多家连锁店，整体年收入在 2 亿左右。2007 年年底我完成了第一轮融资，当时全国形势一片大好，我们确定在两年之内完成全国扩张的布局，将连锁店开到 200 家左右，并在 2009 年年底前上市。基于这个规划，2008 年我们展开了大幅度的扩张。但现在一方面宏观经济形势不好，一方面国家又在提倡扩大内需，2009 年究竟应该按照以前的节奏继续扩张，还是果断停止扩张，我非常犹豫。究竟在这个关键点该如何抉择？"②

① 史玉柱：《史玉柱自述创业历程》，载《中国企业家》2013 年第 5 期。

② 佚名：《分清是诱惑还是机遇的鉴证例证》，见 http://blog.sina.com.cn/s/blog_5de088850100dn86.html。

面对这个困惑过每一个创业者的问题。史玉柱给予了这样的回答：

我对餐饮行业并不太了解，我对于你具体的经营手段和扩张步骤不予置评，毕竟我没接触过这个行业。但比照我个人的创业经历来看，我觉得有两个问题。

一个是短期内的经营目标如何规划的问题。创业者不能没有目标，但目标的设置应该客观实际，我不知道你 2 年开 200 家连锁的决定来源于什么样的市调分析，但在我看来创业 3 年开 40 家店，接下去的 2 年开到 200 家店，这样的步子迈得大了些。此外你还提到要在 2009 年年底上市融资，考虑到当前上市审核越来越严，自然企业的业绩要求也就越来越高，这无异于进一步加重了经营的压力。不久前我和企业界的朋友一起回顾过去的十年，我们追求速度最慢，但成长最快，就好比高速公路上开车，80 迈的很可能比 150 迈的先到目的地，因为开快车容易出车祸。

二是经营战略的调整问题。企业经营无疑应当应时而动，大幅扩张的前期业绩较差确实符合经营规律，投资数额越大，越要考虑到回收成本的周期问题。在经济大环境不利于行业发展的时候是否实行相应的收缩，需要创业者进行取舍。所谓舍得，有舍才有得，在进一步追加投资会面临不可测的风险的时候，壮士断腕不仅是勇气也是一种智慧。资金链是企业的命脉，保住命脉才能保住企业。我认为做企业一定要控制负债率，巨人出事时（负债率）是 80%，现在我自己规定公司负债率 5%

是安全的，10%亮黄灯，15%就要亮红灯了。[①]

史玉柱告诫该创业者说："在现在的经济形势下，创业最大的挑战不是能不能发现和把握机遇，而是能不能抵制诱惑。现在跟十年前、八年前的环境不一样了，很多人还没有明白过来，还认为创业者能发现机会、能把握机会是本事。中国现在的机会太多了，你不用去找机会，机会都会找上门。所有失败的企业都有一个共同的特点，就是没抵挡住诱惑，战线过长，最后才会出问题。"[②]

创业的最大挑战是抵制诱惑

谁也无法否认，对于任何一个创业者而言，这是一个充满诱惑的世界。当然，要想将创业企业做强做大，无疑更需要专注。

客观地讲，在风云变幻的市场环境中，能够保持专注就显得难能可贵。每当企业发展到一定阶段，企业内部就自然会产生种种方向性的问题，最常见的就是考虑是"专注"还是"多元化"的问题。在选择"多元化"的同时，众多企业因为偏离核心业务而日渐势微，与之形成鲜明对比的是，中小企业凭着一如既往的专注成为了不可忽视的新兴力量。

① 史玉柱：《史玉柱：现在的关键是抵制诱惑》，载《创业家》2009年6月17日。

② 史玉柱：《史玉柱：现在的关键是抵制诱惑》，载《创业家》2009年6月17日。

在1997年，失败后的史玉柱痛定思痛，在二次创业的过程中，他坚决地坚持要抵挡机会的诱惑。

而一些媒体报道称，曾经的“史大胆”如今已经不再大胆了，胆子变得越来越小。在项目投资时，总是慎重地评估和调研，不再轻易做出曾经大胆的冒险。

针对这样的报道，史玉柱一笑而过：“那一跤摔得太狠（了），太刻骨铭心（了），后来（我）就有了一个信条：宁可错过100个机会，也不可投错一个项目。这跟过去的思路是完全不一样的，过去是绝不放过任何一个机会。”

资料显示，在1997年之后的10多年时间里，史玉柱却只坚持做了三件事情——做保健品、买入银行股票、做网游。

据史玉柱介绍，在做保健品的过程中，为了增加成功率，在几年时间里他都只做脑白金一个产品。当然，在这期间也研发了一些产品，如“黄金搭档”。

经过第一次创业的失败，史玉柱在推广新产品时非常谨慎，尽管很早就研发出“黄金搭档”这个新产品。但是由于有过前车之鉴，考虑再三之后，2002年，史玉柱才决定推出“黄金搭档”这个新产品。

尽管“黄金搭档”这个新产品取得了不菲的成绩，但是在史玉柱的项目里仍然还有十几种新产品没有推出。在史玉柱看来，没有将这十几个新产品推广出去，主要还是没有其100%必胜的信心。

当史玉柱东山再起后，其事业也越做越大。一些创业者就想到让史玉柱做风险投资。史玉柱说：“在互联网项目上面很多人找我们。如果有好的我愿意投，有的人只想投几十万（元），但是项目不好，我就不愿意投。但如果是好的，原来是几十万（元）的我愿意去花几亿（元）买他的项目，买了之后就不是风险投资，而是我们的项目。我们不怕花钱多，但要控制项目的风险。”

在抵制诱惑方面，史玉柱已经将其制度化。为了杜绝史玉柱一个人因为一时的头脑发热而拍脑袋作出投资决策，从而酿成大祸。在巨人投资公司内部，史玉柱建立了一个7人的决策委员会。在项目投资时，必须根据投票来决定是否投资其提名的项目。

当然，在这些提名的项目中，虽然有汽车、手机等很多富有诱惑力的项目，这些项目也被一些企业做成功了，但是，为了保证其成功几率，当时它们均被7人决策委员会拒之门外了。

如，中国大陆一家汽车公司将要转让其一部分股份，该汽车公司负责人找到了史玉柱，谈起了转让股份的想法。而当时的史玉柱确实被眼前的项目给打动了，把该项目提交决策委员会谈论，结果却被决策委员会否决了。

再如：史玉柱很看好手机这个行业，毕竟在中国有着上亿人的市场。按照史玉柱的想法，较好的捷径就是能收购某家手机企业。当这个项目提交决策委员会时，结果手机项目也被决策委员会否决了。

当然，正是决策委员会的制度化作用，才保证了史玉柱今日的辉煌成就。正如史玉柱所说：“中国现在的机会太多了，你不用去找机会，机会都会（自动）找上门。企业家最大的挑战在于是否能抵挡（住）诱惑。”

史玉柱后来回忆说，正是决策委员会的否决，才避免了史玉柱再次投资失败的可能。事实上，进入汽车行业，不仅需要投入巨额的资金，而且还需要塑造品牌，其激烈的竞争态势也让这个项目充满诸多变数；进入手机行业中，不仅需要研发和外观设计人才，且还需要畅通的渠道。

史玉柱曾撰文回忆说：

这时我们给自己定了一个纪律，就是不要做超出自己能力的事，没有把握的事不要做。当时我们有个口号——“宁可错过一百个机会，绝不犯一个错误”。

因为我们没有其他投资，账上的现金越积越多、越积越多，聚集多了的时候，人又开始冲动了。一冲动就更要克制自己。当时每天都有很多项目找上门来要我们投资，现在看大部分项目没投是对的，当然其中也有好项目——这个没错，冤枉就冤枉了。

我举例，有两个好项目，当时没投，现在来看，如果当时投可能是正确的。但是在“宁可错过一百个机会，也不错投一个项目”这种前提下，我觉得也没事。

一个项目就是新浪，新浪当时的股票是几毛钱一股，不到1块钱吧，8毛钱一股。然后杨澜和吴征两口子缺钱，要把股票卖了。卖我大概1块多钱一股。实际上当时我被说动了，我把这个提交到我们的内部决策委员会上面，结果被全票否决。如果这个投了之后一年的时间吧，能有二三十亿的利润。

还有一个项目，如果投了可能也是对的。这就是花10个亿购买国有奇瑞汽车股份。当时我也被说动了，也提交到决策委员会，（结果）也是全票否决。只有这两个（是当时可以投的），另外还有十几个，那十几个幸亏咱没往里面投，投了就完了。[①]

可以肯定地说，史玉柱的东山再起离不开他拒绝诱惑。2007年11月1日，当网络游戏商巨人网络成功在美国纽交所挂牌上市，发行价为15.5美元，融资8.87亿美元。当日开盘价18.25美元，超过发行价

① 史玉柱：《决不犯一个错误》，载《北京晚报》2013年7月17日。

17.7%。

当巨人网络在美国成功上市的消息发布之后，融资 8.87 亿美元的巨人网络将有着非常充裕的现金流。为此，一些媒体就对史玉柱发问：“巨人有近 10 美元的融资，会不会去投资其他项目？”

对此，史玉柱的答案非常明确：“不会。我是做 IT 出身的，我最早是（做）程序员。现在（算是）回（归）到 IT 了，是回娘家了，这是（我）求之不得的。此外，我本人特别爱玩游戏，我的工作主要（就）是玩游戏，没有几个老板（会）像我这样的。我会充分利用这一点（的）。我终于找到自己的归宿了，感觉很好。将来退休了我也会继续玩游戏。”

面对媒体的关注，史玉柱在接受媒体采访时还宣布了一个重大决定——将从脑白金和黄金搭档的管理中退出来，以便把更多的时间投入到巨人网络中。

而史玉柱的这个决定并没有打消众多媒体的疑虑。2007 年，一家媒体记者在采访史玉柱时，就提了一个较为尖锐的问题——“您说下半辈子都献身网游了，但您过去十几年涉足了那么多领域，肯定也看到了很多诱惑，现在说这个话会不会为时过早？”

在谈及机会和诱惑时，史玉柱却很坦然：“11 年前我胆子确实很大，但我今年 45 岁了，从那次摔跤之后一直没什么冲劲。现在像我们企业这种规模的，哪个（企业）不是到处投资。我认识几十个朋友，都在（到处）投资。我近（几）年一直反对多元化，这说明我胆小。我有个企业家朋友圈子评（谁的）胆子最小，我是第一名。”

或许，史玉柱的观点凝聚着其失败的教训而有感而发。但是却在告诫创业者，要想创业成功，就必须抵制诱惑。正如史玉柱所言：“过去 10 年，我抵挡住了诱惑。”

第二章
盲目多元化必败

那时候，（我）头脑发热，做过十几个行业，全失败了。例如，当时做的脑黄金、巨能钙、治心脏病的药，我们的老本行——软件、计算机硬件。当时传销还不算违法，还成立了一个传销部开始研究传销。（传销）队伍刚培养好，国家（开始）说传销违法了，最后那批人就解散了。

——巨人创始人　史玉柱

企业战略必须"聚焦、聚焦再聚焦"

对于任何一个创业者而言，商场就犹如一个充满激烈竞争的原始丛林，而初创企业就像羚羊般弱小，面对狮子、老虎般强壮的大企业，要想谋求其生存空间，答案就是"适者生存"。在"适者生存"的策略中，"专注"成为初创企业得以生存和发展的一个重要推动力。

客观地讲，"多元化扩张，还是专业化突破？"这是横亘在很多创业者面前，特别是初创企业做到一定规模后不得不面临的一个最为头痛、最具争议的问题。

从这个争议中就不难看出，多元化的成功概率本身就比较低，相关数据显示，通过对412家企业样本进行分析，从回报率来说，专业化经营的方式远优于多元化的经营方式。

而且并不是所有的企业都可以复制GE的多元化辉煌。在中国企业的多元化道路上，倒下了太多的企业巨头。

从联想FM365的倒闭，到海尔生物制药的无功而返、实达沦为ST股、奥克斯汽车停产、德隆系的垮台，甚至有学者断言："包括海尔在内，中国现在还没有一家企业搞多元化是成功的。"

对此，史玉柱在多个场合下告诫诸多创业者，只有专注化才能减少失败概率。因为失败的企业都有一个共同点，就是没能抵挡住诱惑，战线拉得过长，以致最后出了问题。

事实证明，对于创业者而言，要想把初创企业顺利地做强做大，在项目投资时，就必须充分地保持自己理性的投资意识，在似乎是机会的诱惑中能够摈弃自己的诸多贪念，做到在项目投资时绝对不可以盲目冒进。

在面对新的机遇时，特别是在认准了某个潜力巨大的项目后，创业者必须冷静面对，客观地评估其风险。因此，作为创业者，一定要经得起外部诸多机会的诱惑，绝对不能见到什么项目好就投资什么项目。

针对这个困扰创业者的问题，史玉柱用了七个字来概括——"聚焦、聚焦再聚焦"。众所周知，之前史玉柱因为盲目多元化而失败了。在20世纪90年代，在这个到处都充满机会的华夏大地上，史玉柱也在这改革开放的春风中捕捉到诸多商业机会，而且此刻的巨人集团也是一路畅通无阻，销售记录屡屡刷新。

春风得意的史玉柱在充满陷进的机会里忘记了风险。而巨人集团的发展更加使得史玉柱认为"人有多大胆地有多大产"。

而此刻的史玉柱已经头脑开始发热，巨人集团就开始跑马圈地了。

在这场隆隆烈烈的多元化“大跃进”中，史玉柱开始染指服装、保健品、地产等十多个行业。

然而，令史玉柱没有想到的是，曾经高调所建的巨人大厦竟然成为了巨人多元化失败的导火索。

为了修建巨人大厦，巨人集团不得不从其他业务中截流资金来填补这个超出预算的项目。巨人大厦需要太多的现金流，结果使得巨人集团现金流断裂，巨人集团就被巨人大厦给拖垮了，负债2.5亿元。

而失败后的史玉柱，不得不总结自己的此次失败。据说他还曾找到三株创始人吴炳新寻找其失败根源。

而史玉柱得到的指点是，集中全部精力做一款产品，成功后再做第二款。之后的史玉柱，在事业中始终坚持着这一策略，绝不冒进。做脑白金的时候，就只有一款脑白金，脑白金成功后，再做黄金搭档，黄金搭档成功后再做《征途》，《征途》也成功了，现在又集中精力做《巨人》。[①]

史玉柱评价自己在多元化失败之后变得很胆小，他为自己定下了三条铁律，其中一条就是绝不盲目冒进，草率进行多元化经营。现在他的事业聚焦在网游上，他也以“下半辈子只干网游”的决心再次履行着他的聚焦战略。[②]

克服非理性的贪欲，切忌冒进，史玉柱以自己失败与成功的双重经验，给其他企业家做出了榜样。史玉柱的绝不冒进，草率进行多元化经

---

① 佚名：《我们从史玉柱身上学到什么？》，见 http：//news.qq.com/a/20071122/001822.htm。

② 佚名：《我们从史玉柱身上学到什么？》，见 http：//news.qq.com/a/20071122/001822.htm。

营的铁律，和“聚焦、聚焦再聚焦”的七字秘诀，也是其他企业家需要学习的地方。①

盲目多元化的结局只能是失败

在20世纪90年代的中国，多元化成为诸多创业者绕不过的话题。在这个机会多如牛毛的时代，似乎只要多元化企业就能成功。

不可否认的是，跑马圈地的结果使得越来越多的创业者陷入了被动之中。在这场轰轰烈烈的多元化实践运动中，史玉柱就是其中一个多元化的受害者。

为此，史玉柱曾公开反对多元化说：“但凡是鼓吹自己多元化的，3年就会经营困难；不超过5年，就会完蛋。民营企业面临的最大问题，不在于你有没有发现机会的能力，而在于你能不能抗拒各种机会的诱惑。”

史玉柱反对多元化的理由很简单，就是自己在多元化中栽过大跟斗。让时间回到20世纪90年代，1994年8月，在国外软件大举进军中国、抢走了汉卡的市场份额、侵占了巨人集团其他软件产品的生存空间之后，急于从IT困境中突围的史玉柱把目光转向保健品，斥资1.2亿元开发全新产品——脑黄金。②

---

① 佚名：《我们从史玉柱身上学到什么？》，见http：//news.qq.com/a/20071122/001822.htm。

② 佚名：《史玉柱》见http：//baike.baidu.com/view/16308.htm。

资料显示，在1994年10月至1995年2月这短短4个月的时间里，在供货不足的情况下，脑黄金的销售回款竟然突破1.8亿元。

此刻，史玉柱看到了“暴力营销”的巨大成效。在1995年5月18日，巨人集团更是将“暴力营销”做到了极致，同时在中国上百家报纸刊发整版广告。

当脑黄金取得开门红之后，巨人集团还推出保健品、电脑和药品三大系列共30个新品。在30个新品中，自然又以保健品为主，总共推出12个品种，包括减肥、健脑、醒目、强肾、开胃等。

广告发挥了巨大的作用。在短短15天之内，经销商的订货量就突破15亿元。在当时的三株、太阳神等保健品还在对农村做刷墙体广告的时候，“既有贼心又有贼胆”的史玉柱采用铺天盖地、无孔不入、狂轰滥炸式的广告策略加之渠道建设和严格管理，让一款全新的保健品在12亿中国人中家喻户晓。当年，史玉柱和他的脑黄金一起，成为妇孺皆知的明星。[①]不到半年，巨人集团的子公司就从38家发展到了228家。

在取得阶段性成果之后，1996年年初，史玉柱发起了“巨不肥会战”，以“请人民作证”的口号再次在全国掀起了保健品热销的狂潮。

此刻的史玉柱跟其他多元化的创业者一样，必然面临扩张后的管理不善。资料显示，由于史玉柱盲目地扩张不仅导致脑黄金保健品管理不善，同时还导致脑黄金市场迅速萎缩。

在史玉柱这样疯狂的多元化战略中，遭遇惨败也只是早晚的问题。史玉柱失败后，就曾经这样介绍当时的疯狂劲头：“那时候，头脑发热，做过十几个行业，全失败了。如，当时做的脑黄金、巨能钙、治心脏病的药，我们的老本行——软件、计算机硬件。当时传销还不算违法，还

① 佚名：《史玉柱》，见http：//baike.baidu.com/view/16308.htm。

成立了一个传销部开始研究传销。（传销）队伍刚培养好，国家（开始）说传销违法了，最后那批人就解散了。当时甚至还成立了个服装部门。”

1997年之前，在史玉柱盲目多元化的过程中，步步高电子公司创始人段永平就曾经给予过史玉柱不要盲目多元化的忠告：“做企业就好像高台跳水，动作越少越安全。”

然而，由于史玉柱少年得志，此刻的脑黄金名噪一时，再加上史玉柱正处在多元化的冒进之中，自然也就没有过多地理会段永平的告诫。

在中国，搞多元化成功的企业没几家，搞多元化失败的企业倒是不胜枚举。以前各行业竞争不激烈，你什么也不懂，但只要你进去别人没进去，你就很容易赚到钱。现在竞争激烈了，专业化是非常必要的。专业化不仅对中国企业适用，而且全球行业的发展趋势肯定也是走专业化道路。

当遭遇失败之后，史玉柱明白了段永平当初的忠告：“在中国，多元化的企业除了复星之外，成功的没几个，搞多元化100%会失败。中国企业家10年前的最大挑战在于把握机遇。随着这10年来经济法制的进一步规范，各行业进入白热化的竞争，所以现在企业家的最大挑战在于是否能够拒绝诱惑。以前各行业竞争不激烈，你什么也不懂，但只要你进去别人没进去，你就很容易赚到钱。现在竞争激烈了，专业化是非常必要的。但是我们许多民营企业还是沿用过去的思维，即便现在我也有这种认识，但有几次我也没忍住，把投资报告提交给（决策）委员会，都被枪毙了。专业化不仅对中国企业适用，全球行业的发展趋势肯定也是走专业化道路。”

史玉柱曾经的失败，在很大程度上都是“多元化”惹的祸。对于当时违背经济规律的做法，史玉柱认为是所谓的“多元化经验”。史玉柱回忆说：“比如巨人汉卡，（当时）巨人汉卡确实做得不错，做得很好，销售额也很大，利润也很可观，在同行业里面已经算是佼佼者了。但是很快我们就以为自己做什么都行，所以我们就去盖了房子，搞了药，又搞了保健品。保健品脑黄金还是成功的，但是脑黄金一成功，我们一下子搞了 12 个保健品。然后软件又搞了很多，又搞了服装。”

在 20 世纪 90 年代的中国，倒下的不仅仅是史玉柱所创建的巨人集团。同时期倒下的还有另外一个保健品企业——太阳神。

在 1987 年年底，“黄江保健品厂”在广东东莞黄江镇正式挂牌营业，这就是太阳神的前身。

谈到太阳神，就不得不提怀汉新。20 世纪 80 年代末期的广东省，在一片淘金热中，怀汉新就是一个时代的弄潮儿。

1988 年年初，在全民经商的号召下，果敢的怀汉新毅然辞去公职而下海了。下海经商的怀汉新当时只不过是生物健技术的持有人。

在怀汉新看来，生物健技术是有着巨大市场潜力的，于是就大胆地投入“生物健技术”了。1988 年 8 月，“太阳神”正式宣布全面启用整套 CIS 设计用于营销推广，将“黄江保健品厂”的厂名、商品名和商标统一变更为“太阳神”。其后其迅速崛起，红遍大江南北，名震白山黑水。当年实现销售收入 750 万元，比预期整整高出 10 倍以上，到 1990 年“太阳神”的销售额达到 2.4 亿元的高位，到 1992 年“太阳神”成为资产总值高达 7 亿元的企业集团。自此无人能否认“太阳神”在中国保健饮料行业的“江湖老大”地位，其市场份额最高的时候曾经达到 63%，这绝对是一个“前无古人，后无来者”的记录。①

起初，“太阳神”的企业发展战略一直是“以纵向发展为主，以横

① 佚名：《怀汉新》，见 http：//baike.baidu.com/view/1262086.htm。

向发展为辅”，即保健品发展为主，多元化发展为辅。但从1993年开始，太阳神向多元化大举进军，一改纵向发展与横向发展齐头并进的战略，一年内上马了包括石油、房地产、化妆品、电脑、酒店等在内的20多个项目，在新疆、云南、广东和山东相继组建成立了“经济发展总公司”，进行大规模的收购和投资。①

在1992～1993年这短短的两年时间里，“太阳神”却把大部分销售收入资金转移到这20多个项目中，注资高达3.4亿元。尽管注资3.4亿元，但是这些项目却没有一个成为新的“太阳神”，而投下的3.4亿元投资就这样血本无归了。

资料显示，1987年，制药工程师出身的怀汉新凭着自己研发的“生物健”项目和5万元的微薄资金开始了“太阳神”的光芒之旅，当时肯定无人能想到“太阳神”就会在东莞黄江镇这一地图上根本找不到的偏僻之地冉冉升起。②

在“太阳神”完成早期积累步入持续发展时，“太阳神”的管理层一致认为，什么领域利润高就进入什么领域，最终使“太阳神”落入了多元化扩张的陷阱。到1997年，“太阳神”已经全年亏损1.59亿元。它在香港的股价由前一年的每股2.2港元惨跌到9分港币。③

从“太阳神”的快速崛起和面临的危机来看，“太阳神”正是由于以怀汉新为首的管理层没能抵住诱惑，进行多元化扩张而迅速倒塌的。

从上述案例中看出，不管是珠海巨人多元化的失败，还是“太阳神”

---

① 佚名：《论企业多元化战略》，见http：//doc.mbalib.com/view/3072d536f238a2a261528a87d12255ca.html。

② 佚名：《怀汉新》，见http：//baike.baidu.com/view/1262086.htm。

③ 佚名：《论企业多元化战略》，见http：//doc.mbalib.com/view/3072d536f238a2a261528a87d12255ca.html。

多元化的失败，以及20世纪90年代以来一些中国企业进行多元化扩张并最终失败，这些教训都在警示着创业者，那就是在创业过程中，一旦盲目多元化扩张，必然遭遇巨大危机，甚至是惨遭失败。

在一些场合下，史玉柱告诫创业者说："中国民营企业面临的最大挑战不是发现机会的能力，而是领导者的知识面、团队的精力、企业的财力问题。现在各领域的竞争都是白热化，企业只有集中精力，形成核心竞争力才能立足，否则就会一夜间完蛋。"

为了让投资决策更加理性化，在企业项目投资时，史玉柱把企业"国王"的位置一分为三：①所有者；②经营者；③决策者。

这就是说，作为巨人创始人的史玉柱在投资项目时，必须要经过领导层讨论通过之后方能投资。在上海健特生物科技有限公司，总裁是原来珠海巨人集团的常务副总裁，其他四位副总裁也都是原珠海巨人集团的副总裁，公司高级管理者有2/3是原珠海巨人集团的。而史玉柱担任的只是决策顾问。尽管员工们私底下还叫他"老板"，然而，作为"决策顾问"的他却并未享受老板的绝对权威。在新公司体系内部，设立了七个人的决策委员会，投票决定提名的投资项目。决策委员进行激烈讨论，最后由办公会议决定。

那么，在公司建立一个决策委员会，是否会影响决策的效率呢？答案是肯定的。史玉柱说："速度肯定要受到影响，但对现在的中国民营企业家来说，最大的挑战不在于他能不能发现机遇和把握机遇，而是他能不能抵挡诱惑，这跟10年前的环境不一样了，所以很多人还没有弄明白。中国现在的机会太多了，不用去找机会，机会都会找上门。"

史玉柱还坦言："最近几年出问题的企业家都有一个共同的特点，就是没能经得住诱惑，战线拉得太长，最终才导致问题的出现。而且摊子铺得过大，手中的现金就不足以支撑这些项目，他肯定会做一些非常规的事情，而在中国的法律体系下，非常规的事情常常就是非法的事情。”

而今的史玉柱在经历盲目多元化的失败之后根据自己的经验教训，提醒创业者不要盲目多元化，因为盲目多元化的结局只能是失败。

当然，反观史玉柱所建的决策委员会投资机制。不可否认，正是这种机制，数年来，一直在给史玉柱发热的头脑泼冷水。在吴征退出新浪的时候，希望找一个人来接手。有人问史玉柱买不买，给出的价格十分吸引人。虽然事实证明，若当时出手的话，他就会净赚数十亿元。然而，决策委员会觉得风险过大而没有同意购买，最后他选择了放弃。当然，史玉柱也不后悔，因为决策委员会的许多决策也为他挡住了不少风险。

创业，最好主攻一个方向

在史玉柱看来，初创企业不要搞多元化，这样容易失败。史玉柱告诫创业者说：“第一个，不要搞多元化，尤其企业不大的时候。我觉得能少干一件就少干一件，不但不要多元化，而且创业的时候最好主攻一个方向，要做就做一个产品。你要做这个产品还不能说平均用力，一定要把你的核心竞争力那一点用足。你想干的事越多，你失败得越快。反正我看得太多了，只要违背这个规律的，今天见了这个他想做这个，明天他又想做另外一个，后天一问，他总共在做三个。再过一年问他，他啥都做不成了，因为他已经破产了。但是如果他坚定不移地聚焦到一点上面，做一个产品，把这个产品做到极致，所有的团队、人力、财力、物力，全部押到这个上面，这种成功概率比其他的要大很多。”

在史玉柱看来，如果盲目多元化，必败无疑。反观史玉柱的创业历程，从 1997 年巨人集团多元化失败欠债 2.5 亿后神秘消失，到 2001 年还清欠款重新崛起；从 2004 年涉足网络游戏行业，到 2007 年巨人网络赴纽约交易所上市，史玉柱仅用 10 年时间就完成了这一系列转变。不过，重新崛起后的史玉柱却发生了一些改变。这个转变就是战略聚焦。

史玉柱告诫创业者说："在中国，多元化的企业除了复星之外，成功的没几个，搞多元化 100% 会失败。中国企业家 10 年前的最大挑战在于占据机遇、把握机遇。随着这 10 年来经济法制的进一步发展规范，使得各行业进入白热化的竞争，所以现在企业家的最大挑战在于是否能够拒绝诱惑。以前各行业竞争不激烈，你什么也不懂，但只要你进去别人没进去，你就很容易赚到钱。现在竞争激烈了，专业化是非常必要的。但是我们许多民营企业还是沿用过去的思维，即便现在我也有这种认识，但有几次我也没忍住，把投资报告提交给（决策）委员会，都被枪毙了。专业化不仅对中国企业适用，全球行业的发展趋势肯定也是走专业化道路。"

史玉柱放弃多元化战略，这肯定是吸取曾经盲目多元化失败的教训。东山再起的史玉柱绝口不再谈多元化战略，反而将聚焦行业、专一化发展视为自己的成功秘籍。这其实是史玉柱东山再起的创业经验。

史玉柱在公开场合坦言，十年做了三件事情。史玉柱回忆说：

> 这十年来我只做三件事，第一是做保健品，做脑白金后发现当时行业内的前 5 位都有 10 款以上的产品，我们就决定只做脑白金一款产品，这款产品取得成功并且稳定之后我们才开始做第二款产品——黄金搭档。最后结果是什么？从销量看，现在脑白金和黄金搭档是3000个保健品中的第一名和第二名，销售额遥遥领先，在保健品领域我们是这个行业第三名、第四

名、第五名的总和，已经不是简单的第一地位，而是霸主的地位。

第二是做投资银行。现在看来我赚了100多亿，当初选择投资时，我们是从几十个行业中筛选出金融业，从金融业再细化出银行业，银行业又筛选出只做上市和接近上市的银行。我们当时已经预测到未来五年后银行业会怎么样，十年后会怎么样，现在看来当初的判断是正确的。

第三就是开始做网络游戏，做了网络游戏后，前两个我都开始不管，并且全身心关注这个行业。[①]

不可否认的是，史玉柱能够东山再起，与史玉柱放弃多元化战略有关。史玉柱说："失败的企业都有一个共同特点，就是没能抵挡住诱惑，战线拉得过长，以致最后出了问题。"

在史玉柱看来，只有专注化才能减少失败概率。现在，这成为他做企业的原则。

① 史玉柱：《史玉柱：做企业不能只靠营销成功》，见http：//tech.163.com/08/0310/00/46KOP5K5000915BF.html。

第三章
现金流一断创业就完蛋

企业最怕在现金流上出问题，企业亏损不一定会破产，但现金流一断企业就会完蛋。

——巨人创始人　史玉柱

企业最怕在现金流上出问题

对于任何一个创业者而言，要想让初创企业做强做大，就必须要做到两点：第一，保证现金流不断裂；第二，在企业经营时，保证其稳健性、可持续性，绝对不能盲目冒进。

对于现金流断裂而导致企业倒闭的问题，史玉柱非常有发言权。史玉柱在经历了商场的折戟沉沙之后，他告诫创业者说："10 年前的民营企业，现在还活着的不到 20%。主要问题其实不是管理不善，而是财务危机——投资失误导致资金紧张，最后资金链断裂。企业最怕在现金流上出问题，企业亏损不一定会破产，但现金流一断企业就会完蛋。"

史玉柱的创业经验是在历经诸多磨难后总结出来的。正如联想创始人柳传志所言："他把所有的边界条件都按最好的方向去设想，稍微一个环节一垮就要出事。"

众所周知，对于任何一个企业而言，没有现金就如同一个人没有血液，肯定是无法存活的。一个星期之内，巨人集团迅速地垮了，并欠下了2.5亿元的债务，从休克到死亡，过程非常短。

20世纪90年代，中国改革开放进入关键期。在1992年，邓小平视察南方谈话后，中国的商业一片欣欣向荣。

而沿海的广东和海南两省不仅是改革开放的试验田，而且还关乎改革成败。此刻的广东省，由于大量农民奔赴广东打工、官员下海经商、企业职工停薪留职去广东创业，广东的房地产也就开始急剧升温。很多企业都在想尽一切办法弄到土地，以便赶上这一波淘金热潮。而此刻的史玉柱却不费吹灰之力就得到了一片土地。

对于史玉柱来说，珠海市政府给予的这份“礼物”有点意外。当时，史玉柱的想法很简单，只是打算建造一座大楼为巨人集团办公所用。在确定楼层数的时候，主要还是根据巨人集团办公的功能与面积逐层向上数的。主要包括巨人集团的开发中心、行政中心、配套市场的物流场所、员工食堂、员工公寓以及文体活动场所。

按照巨人集团办公计算，巨人大厦修建的层数估计在十三四层左右。在讨论过程中，有人建议说，在广东，18是一个非常吉利的数字。而巨人大厦应当建18层。而又有人反对18层这种说法，其理由是巨人大厦不能建18层，因为这与18层地狱近似，不吉利。应该将巨人大厦建为19层。

没过多久，又将巨人大厦的层高修改成38层。在这38层巨人大厦的招标书中，涵盖如下内容：容积率，建筑密度20%，用地红线内绿化不少于30%，外墙建筑材料采用玻璃幕墙，除应设计出展厅、商场、软硬件开发和培训中心、电脑生产场地外，还要本着所有配套设计均在大楼内解决的原则，设计出公寓式办公室、职工娱乐中心、屋顶花园和旋转餐厅以及部分外销为主的写字楼层，投资预算控制在1～2亿元。尽管在这份招标书里包括了商场、写字楼等设计，可是大楼的主体还是为巨人集团自己所用。[①]

按照当时的估算，修建一座38层的巨人大厦需要2亿元左右。客观地讲，2亿元的投资对于当时的巨人集团来说，还是可以承受的。此刻，即将修建的38层巨人大厦，已经超过了珠海其他建筑而成为珠海最高的大厦。

1992年，广东省珠海市最高建筑就是位于珠海市香洲区拱北的银都酒店，该酒店一共有32层。

然而，在1992年9月初，《珠海特区报》刊发了一则广告，广告的内容是，即将修建的金山大厦要超过银都酒店15层，也就是要建造一座47层的金山大厦。

当此则广告刊发之后，原计划修建珠海市最高建筑的史玉柱放弃了巨人大厦38层的设计方案，打算将巨人大厦修建成48层。在史玉柱看来，巨人大厦才是珠海市最高的建筑。

在1992年下半年，巨人大厦的层高不断向上增加，从38层增加到了54层。然而，巨人大厦的层高并没有到此为止。

在1994年年初，此刻的史玉柱不满足只为"珠海争光"，打算修建中国第一高楼，将原定的54层的巨人大厦又增加到了64层。

正当准备宣布把巨人大厦的层高定为64层时，史玉柱觉得64层的巨人大厦与中国的一些高楼没有拉开太大的距离。据史玉柱回忆说："话都到了嘴边，头脑一热，竟对外宣布，巨人大厦要做到72层。"从这句话足以看出史玉柱不懂得财务预算，这才是史玉柱头脑一热就要建造72层巨人大厦的一个关键因素。

也许，史玉柱没有想到的是，修建一栋72层的巨人大厦从当初2

① 常桦：《创业教父》，中国华侨出版社2010年版。

亿元的预算一下子就陡增到12亿元，其预算超出了整整6倍。而在此刻，史玉柱仅仅只有2亿元现金。

其实，自38层后，巨人大厦的楼层已经变成了一个数字游戏。巨人集团营销副总裁王育回忆，他在策划巨人大厦广告文案时，有一天被史玉柱叫去，批评他弄错了巨人大厦的楼层，是70层而非64层。不仅仅是王育首次听说这个数字，连当时担任巨人集团副总裁的刘伟也仅仅比他早知道10分钟而已。[①]

资料显示，在史玉柱一心只想建造中国第一高楼时，珠海市政府一再给予巨人集团更多的优惠政策。可以说巨人大厦的不断加高和行政暗示也有关系，这也助长了史玉柱建造中国第一高楼的决心。

史玉柱回忆说："开始是18层，然后是38层、48层、54层、64层，最后加到72层。过去我一直不愿意说这个事。后来我去拜访过梁广大（时任珠海市委书记），他说确实是有这个成分，想要我们往上盖。当时中国大学生流失率很高，本科毕业就出国的很多，回来的又很少。国家领导人交给他一个政治任务，要像重奖科技人员一样，在中国树立大学生成功创业的典型。想通过把巨人大厦盖高，让大家注意到这一标志性的东西，注意到我们的（中国的）企业，由此来吸引大学生留在国内创业。"

梁广大选中的是史玉柱。这个典型的树立是通过建一个标志性建筑，轰动珠三角和全国，于是巨人集团就计划做全国第一高楼。珠海市政府还具体给了一些优惠政策。

据史玉柱回忆："土地非常优惠，几乎是白送的。本来是1万多平（方）米，后面又给了我们3万多平（方）米的地。那时珠海的地价，

---

① 常桦：《创业教父》，中国华侨出版社2010年版。

实行的是楼面地价（建筑面积摊到的地价），珠海应该是全国第一个这样计算的，市面价格在 2650 元 / 平方米，政府给巨人集团的是 125 元 / 平方米，相当于白送。”

在当时，由于珠海市政府的政策支持，再加上房地产业过于狂热，这就促使史玉柱高歌猛进地进入了房地产行业。史玉柱回忆说：“准备盖的时候（1992 年），正是中国房地产最热的时候，当时盖楼，是不愁卖的，只要有块地、有图纸就能卖了。”

然而，让史玉柱没有想到的是，在开工没多久，国家的宏观调控政策就出台了。史玉柱说：“当我们动工的时候，宏观调控就来了，对卖楼花有限制，必须投资到一定数额才能拿到预售许可证，开始盖的时候还没有限制，后来越来越规范，限制越来越多，所以我们没办法把这个项目搞下去了。”

2 亿元资金对于 12 亿元的巨人大厦来说不过是杯水车薪，仅仅只够打地基的资金。

史玉柱曾经评估过，巨人大厦的巨大收益是客观存在的。尽管面对中央政府的宏观调控，史玉柱还是要想办法来完成巨人大厦的修建。于是，史玉柱将之前靠巨人汉卡、保健品等销售收入的资金绝大部分都注入巨人大厦的修建。在很多场合下，史玉柱坦言，这样的举动是他项目投资经历中“最发昏的举动”，甚至“直到它死的那一天，我都没觉得这个楼盖不起来”。

然而，史玉柱当年要修建中国第一高楼的梦想还是破灭了。而今的巨人大厦也不过是区区的三层高的废墟而已。

当所有资金都注入巨人大厦的修建中时，巨人集团的其他业务无疑会受到巨大影响，这就影响了巨人集团的正常运营。当巨人集团再也没有资金注入时，史玉柱已经向巨人大厦注入了 2.5 亿元。

现金流绝不能断裂

当史玉柱逢山开路、遇水搭桥的实施多元化战略时，联想创始人柳传志就曾说："他意气风发，向我们请教，无非是表示一种谦虚的态度，所以没有必要和他多讲。而且他还很浮躁，我觉得他迟早会出大萎子。"

柳传志的告诫是有依据的："接着就转到珠海，开始建巨人大厦，这个巨人大厦的广告做到什么程度？香港的各大报纸，头版有一排头像，马克思叫思想巨人，拿破仑叫军事巨人，孙中山是政治巨人，等等，最后经济巨人没说是谁，变成了巨人大厦，巨人大厦居然承诺3年之内不能回本的话，不能拿到180%以上的回报的话，我就赔你多少钱！这在报纸上全部都公开登出来。当巨人大厦还没盖出底来，就不行了，就去做脑黄金……巨人集团果然出了问题，当初巨人大厦募集款项时，有不少的香港人，还有珠海当地的老百姓、工厂的女工等，都把自己的积蓄拿了出来，现在这些人当然不答应了，报纸上也不断地报道这件事，虽然他还没有受到法律上的处分，但也很惊心动魄了。"

柳传志的话可谓是击中要害。1995年，巨人集团总共推出了12种保健产品，其广告投放费用为1亿元。在强大的广告攻势下，"脑黄金"取得了不错的业绩，其销售收入竟然取代了"巨人汉卡"，成为巨人集团新的高回报利润源。

"脑黄金"的捷报频传，史玉柱被一片大好的形势所迷惑，他大胆地向巨人大厦地下三层又注入了一亿多元。

到了1996年5月，史玉柱依然把巨人集团的销售收入大部分资金注入巨人大厦的建造。资料显示，史玉柱把各子公司上交的 2570 万元毛利留下 850 万元资金后，竟然把 1720 万元资金投入到巨人大厦的建造当中去了。

在两个月后的 1996 年 7 月，巨人大厦的建造因为缺乏资金而告急。俗话说:“福不双至，祸不单行。”为巨人集团带来巨大利润的“脑黄金”销量也随着保健品市场的普遍下滑而急剧下滑。这就需要增加巨人集团保健品业正常运作的基本费用和广告费。而由于史玉柱把绝大部分销售收入都注入了巨人大厦的建造，导致了巨人保健品业正常运作的基本费用和广告费不足，极大地影响了巨人保健品业的发展。

然而，尽管巨人保健品业的发展遭遇销量下滑，但是史玉柱却依旧决定，将巨人保健品的销售收入注入巨人大厦的建造，而史玉柱这样做的目的就是填补巨人大厦建造所缺的资金。

据史玉柱回忆说：“我可以用脑黄金的利润先将巨人大厦盖到 20 层，先装修 20 层。卖掉这 20 层，再盖上面的。”

客观地讲，史玉柱的想法是美好的。当时“脑黄金”单品每年的利润就达到了 1 亿多元。但是，由于史玉柱过量地向保健品业务的资金“抽血”，再加上管理不善，迅速盛极而衰。“脑黄金”卖不动了。尽管百般腾挪，史玉柱手中的资金最终还是枯竭了。

正如柳传志所言：“他把所有的边界条件都按最好的方向去设想，稍微一个环节一垮就要出事。”

在建造巨人大厦上，额外的支出让巨人集团不堪重负。由于巨人大厦在选址时，恰好地选在三条断裂带上。因为这个问题，巨人集团不得不多花费更多的资金来解决断裂带积水问题。为此，巨人大厦仅此一项就花了 3000 万元。

然而，出乎史玉柱意料的是，在解决断裂带积水问题期间，珠海市在这段期间还发生了两次大型的水灾。这无疑影响了巨人大厦的建设。巨人大厦的地基就被泡过两次，而巨人大厦的整个工期也就被延误了10个月。

到了1996年1月11日，巨人大厦终于完成了地下室工程的建造。1996年11月，相当于三层楼高的第一层大堂完成。

按照预想，巨人大厦的修建非常顺利，将以每5天一层的速度建造。然而，此刻的史玉柱已经无资金可注入巨人大厦的建造了。

在1996年11月，巨人大厦才完成地下及第一层大堂的建造。这就意味着巨人大厦在1996年年底的一期工程未能按时完成。在巨人大厦的招标书中，按照合同的规定，在巨人大厦的建造中，20层的施工期是3年。也就是在1996年年底完工。在签订楼花买卖协议时，曾规定，巨人大厦一期工程（盖20层）完工后履约，如未能如期完工，巨人集团应退还定金并给予经济补偿。

巨人集团不仅要退还投资者购买楼花的定金，还要支付其经济补偿。这就成为导致巨人集团遭遇财务危机的真正导火索。

一些楼花投资者每天到巨人集团要求退还楼花定金。而一些媒体也开始大篇幅地报道巨人集团遭遇的财务危机。一些合作者在报道中看到巨人集团遭遇资金链断裂之后，也就中止合作或拖欠款项。史玉柱说："巨人集团3个多亿的应收款收不回，全部烂在了外面。"

而此时的巨人集团内外交困，由于其资金链断裂而无法退赔，只能陷入破产的危机当中。时隔一段时间后，巨人大厦不得不因为缺乏资金停工，只建造到地面3层楼高。

在此后的1997年1月至8月这段时间里，史玉柱为修建巨人大厦而四处奔走融资，甚至还到美国去融资，结果却未能如愿。

无资可融的巨人集团却得到了珠海市政府的支持。1998年10月，珠海市政府召开巨人大厦贷款现场会。原珠海市长、市委书记梁广大要求银行为巨人大厦贷款。然而，在两周之后，梁广大闪电退休。事后，史玉柱说“如果梁广大晚退休两周,巨人大厦的结果不是今天这样……”

尽管梁广大退休了，然而，珠海市政府依然没有放弃巨人大厦的修建，他们另外找到一个房地产商接盘巨人大厦。一切都进行得非常顺利，设计修改了，合同起草了，政府配送的地也批了，然而，就在最后一刻，对方反悔了。此时的史玉柱反而感到浑身轻松起来：“当我真正感到无力回天时，就完全放松了！”

后来，史玉柱在总结巨人大厦项目上的失误时坦言：“1992 年，中国经济又上快车道，宏观调控也没开始，房地产形势特别好。虽然我手中只有几百万流动资金，但在 1993 年时，巨人 M-6403 汉卡在市场上卖得非常好，销售额比上年增长了 300%，一年要收回四五千万资金是不成问题的，这样两年就是 1 个亿。另外的 1 亿资金是靠卖楼花筹到的，因为房地产正热嘛。此外，施工过程中很多款可以等完工之后再付，这样就有资金使用周期的空当，实际建设中用不了 2 个亿。今天看来，38 层的方案我们是能承担的。但是，巨人大厦后来改为 72 层，预算增加到 12 亿，大约要 6 年才完工。”

从 18 层升至 72 层，为当时中国第一高楼，所需资金超过 10 亿元。史玉柱称：“到 1996 年 6 月前，我没感到资金紧张，生物工程方面的销售回款源源不断，账上的钱花都花不完。”

来自媒体的报道显示，史玉柱之所以要发动“三大战役”，是因为能够用保健品的销售收入来注入巨人大厦的建造。

当然，对于巨人大厦的筹资方式，在史玉柱的谋算中，1/3 的资金依靠销售楼花，1/3 的资金依靠银行贷款，1/3 的资金依靠巨人集团的销售收入。

在这三个筹资方式中，史玉柱主要还是依靠销售楼花和巨人集团的销售收入，而依靠银行贷款的融资几乎没有向银行申请过。资料显示，从 1994 年 2 月破土动工到 1996 年 7 月末，巨人集团从来没有向银行申请过一分钱贷款。

只是在巨人集团面临资金吃紧时，史玉柱才向银行申请贷款，结果史玉柱才发现，民营企业从银行贷款的难度几乎超过了他的想象。

有专家撰文指出，巨人集团危机的发生可以归结为多种因素，但巨人集团未能及时从危机中走出来，很大程度上却可以归结为一点：那就是史玉柱对金融运作的不熟悉以及与金融界的疏离。

面对这个问题，史玉柱回应说："关于借钱这个问题，很多人批评过我。但是在能够周转的时候，我还是坚持不借钱这个原则。这可能与我的性格有关，我不擅长跟外面的人打交道，我想以后做稳一点。其实在巨人集团危机发生之前，有些钱已经不是自己的钱了，因为我们有债务，比如楼花。但是我们还以为是自己的钱。这个教训是要吸取的。"

巨人集团失败的教训并没有让史玉柱改变对"贷款"的看法："主营业务一定不能用银行贷款，否则压力会比较大，心里会不踏实。例如，保健品和网络游戏，它们需要的是长线投资，我们用的都是自有资金。如果真要贷款，对我来说也很容易，我的抵押物很硬，有 22 个亿。"

巨人大厦项目的失败，让史玉柱总结出一句后来常让他挂在嘴边的话："企业最怕在现金流上出问题，企业亏损不一定会破产，但现金流一断企业就会完蛋。现在我不负债了，而且保持着大量的现金流。我们的现金储备已经超过网游行业的公司现金储备总和了，如网易、盛大、第九城市、完美时空等。"

第七部分

做企业不能只靠营销成功

我分析中国的保健品，10种里面有9种是不赚钱的。为什么不赚钱？一个(原因是)，可能产品功效不明显，也可能有功效，但消费者感觉不到。那么就特别依赖于广告。广告一打，销量就有，广告一停，销量就下。它的市场没法靠口碑去维持。

——巨人创始人　史玉柱

第一章
做企业不能只靠营销成功

再决定做保健品时，（我）就定下一个原则：必须是有科技含量的，是真正有效的，这种效果不用依赖广告宣传，消费者自己就能感觉得到。

——巨人创始人　史玉柱

再出色的营销还必须有好的产品

在新中国的商业史上，许许多多的悲剧英雄在折戟后往往是一蹶不振的，而史玉柱却是一个例外。在中国，史玉柱不仅仅是一个传奇。而在部分“营销为王”者眼中，史玉柱被尊为“教父”。

不过，史玉柱却是时刻将用户体验、产品高于一切等词汇挂在嘴边，反而把营销放在了次要的位置。这与众人眼中的史玉柱形象截然相反。

当然，史玉柱这样的做法，源于其对消费者的深入研究。史玉柱在接受媒体采访时说：“在低谷的时候，我曾经研究过市场问题。我就分析中国的保健品，10种里面有9种是不赚钱的。为什么不赚钱？一个（原因是），可能产品功效不明显，也可能有功效，但消费者感觉不到。那么就特别依赖于广告。广告一打，销量就有，广告一停，销量就下。它的市场没法靠口碑去维持。”

在史玉柱的营销思想中，再出色的营销都必须有好的产品作为基础。然而，对于脑白金的持续热销，一些营销专家就认为，脑白金的销量全凭广告在起作用，是靠忽悠做起来的。

面对一些营销专家的质疑，史玉柱显然不认同这样的观点，他对那些来势汹汹的批评者说：“骗消费者 1 年，有可能，骗消费者 10 年，不可能。”

史玉柱的观点还是很正确的，能够欺骗消费者 10 年，那必然是良好的产品为基础。史玉柱坦言，脑白金能从众多的保健品牌中脱颖而出，巨额广告投入并非其唯一成功法门。

史玉柱在接受媒体采访时表示：“保健品要成功，必须过三关：产品关、宣传关、管理关。这三关中最重要的是产品关。脑白金之所以（会）成功，是因为产品关过得很‘精彩’。广告很重要，没有广告肯定不行，但产品是基础。”

的确，要想让一个产品热销，就必须要把好产品关、宣传关、管理关。做企业绝不能仅仅靠营销。

史玉柱的观点得到了一些媒体人的认同。史玉柱的创业成功历程就是一个个不断创新行动的联结，也是他传奇式成功最重要的原因。例如，“脑黄金”、“脑白金”、“黄金搭档”准确的产品市场定位；极富创意和人气响应的广告设计；《征途》网络游戏产品设计和销售模式中的诸多创新点；企业不断根据外部环境变化调整、开辟新业务领域，从最早的软件行业到保健品行业、再到资本市场投资，以及现在的网络游戏行业，都体现出一种极强的应变能力、学习能力和遗忘能力。一个企业如果具备核心力但缺乏应变和遗忘能力，则可能陷入核心能力僵化陷阱而丧失竞争优势，这正是时下许多大型公司面临的创业难题。[①]

可以说，营销只是企业生存和发展的一个重要部分。反观史玉柱的创业历程。早在珠海巨人集团时代，史玉柱在高歌猛进的多元化战略中就涉足了医药领域，还专门成立了一个药业事业部。

在当时，医药事业部是“三大战役”的一个重要组成部分。不过，史玉柱涉足医药产业，有着不一样的考虑。史玉柱的理由是，中国市场应该在医药产业有600亿元人民币的市场规模。

为了分到一杯羹，抓住这个药品市场，巨人药业迅速推出了巨人治感冒、巨人止咳和巨人抗生素。不过，巨人药业的表现并不好，仅仅运行了几个月就自动解散了。

于是史玉柱定下誓言：“再决定搞保健品时，就定下一个原则：必须是有科技含量的，是真正有效的，这种效果不用依赖广告宣传，消费者自己就能感觉得到。”

而脑白金恰恰符合史玉柱的要求。史玉柱说：“做保键品，关键是手里要有好产品。当时，我手里掌握着充足的资料，在学术界，我们查过8000多篇论文，有7000多篇论文对它是充分肯定的，理论上站得住脚。更重要的是，保健品最怕别人吃过后说吃和不吃一个样，能让消费者服用之后马上有感觉的保健品本来就少，当时差不多有近10种类似的产品备选，选中它（脑白金）就是因为见效最快。”

史玉柱之所以选择脑白金，是因为史玉柱认为脑白金是有科技含量的，是真正有效的，这种效果不用依赖广告宣传。

脑白金的主要成分是一种英文名字为melatonin（美乐通宁），中

---

① 张映红：《史玉柱：创业精神缔造财富神话》，载《证券日报－创业周刊》2007年10月26日。

文翻译成人脑松果腺体素，也叫“褪黑素”，在生理条件下由脑内的松果体分泌，其分泌受生物钟调节，夜多昼少，具有一定的调节睡眠的作用。这种食品早在1995年就开始在美国流行。由于其具有改善睡眠特别是不会使人在第二天昏昏沉沉的功效，因而受到人们的广泛关注。据脑白金的说明书报道，在脑白金口服液中还含有低聚糖、山楂、茯苓和水，在胶囊产品中，除褪黑素外还含有淀粉。

研究发现，史玉柱在研发“脑白金”这一产品之前，在中国就已经有多家保健品公司开始涉足。不过，那些保健品公司只是单纯地为美国公司做产品销售代理。因而，在同一时期，这类产品非常之多，但本质上没有多大差异。在激烈的市场竞争中，那些产品和公司迅速消亡。

不过，史玉柱在调研后发现，在中国，还没有一种产品既能解决睡眠问题，又能解决消化问题。当时的保健品市场上只有两类产品：一类是专门解决一部分人的睡眠问题；一类是专门解决一部分人的消化问题。

于是，史玉柱打算推出既能让人睡得好，又能让人排泄顺畅的产品。这样肯定能赢得消费者的认可。这种产品的市场必定是广大的，因而史玉柱将目标锁定在这类产品上。

就这样，史玉柱在引进美国melatonin产品用于解决睡眠问题的同时，还专门研制出一种由化积、消食、通便的山楂与利尿、除湿的茯苓等天然植物药物成分组成的中药口服液。并在产品层面上进行了组合创新——“口服液＋melatonin”，这便构成了一种新产品，并起了个好听、好记、通俗又高贵的名字，那就是“脑白金”。

据史玉柱介绍：“到目前为止，我们总共就做了两个保健品，目前中国前三名保健品中，第一名是脑白金，第二名是黄金搭档。这两个产品边框产品少，但是在我们这个行业里边，大概我们相当于现在的第二名第三名第四名第五名加起来的总和。脑白金这个产品做了 11 年，现在每年（都在增长），去年比前年上升了 24%，今年上半年比去年上半年上升 26%，它还在上升当中。这个一方面是产品有效，不是说做广告，因为没效的产品最多只能卖 3 年。有效的（产品作为）基础，然后营销团队配合，这样才能做得持久。人家阿司匹林能卖 100 多年，现在还在卖，是因为它有效果。”

史玉柱的成功并不仅仅因为其营销能力

在中国，史玉柱是一个极具争议的企业家。1992 年时，在《中国青年》评选的最受崇敬人物中，史玉柱位居第二，第一名是比尔·盖茨。

10 多年后，史玉柱成为中国最有争议的人物之一，时常被同行和社会舆论“拷问道德底线”。在做脑白金产品时，史玉柱把广告词——“今年过节不收礼，收礼只收脑白金”做到了极致。

在中国，成千上万的人认为史玉柱的成功，都应该归功于其市场营销天才，并且逐步地变成了所有人的共识，如：把还债行动搞得轰轰烈烈，让中国人从此对他家喻户晓。

让史玉柱没有想到的是，脑白金给人更深的印象是营销技巧而不是产品，人们甚至把史玉柱归类到营销高手中去了，反而把脑白金产品的形象给比下去了。

由于保健品价格与产品功效不对等、夸大性广告宣传，是目前中国保健品这一行业的一个重要特点。这也就意味着顾客购买前的期望满意度和购买后的使用满意度不对等，即产品给顾客提供的价值和顾客期望的价值不对等，顾客不满意现象的出现也就成为必然。这样发展下去，顾客也会逐渐丧失重复和持续性购买的信心。也正是因为这个原因，众多的医药保健品迅速启动之后不久，产品便以同样的速度退出市场。

史玉柱的成功不能完全的归结于他的营销能力。脑白金“买大白菜”式的反复吆喝——“今年过节不收礼，收礼只收脑白金”和人海销售战术只不过是当下保健品销售模式中最为典型的模式。脑白金宣传的成功只不过抓住了当前中国广告的一个特征：广告强化记忆比美轮美奂的广告创意更适合国情，但这并不能代表中国市场营销的最高水平。

研究发现，史玉柱的成功离不开其把握机会的能力和规范管理企业的能力（包括带队伍）。没有把握机会的能力和规范管理企业这两个能力作为前提，再好的营销都可能白费劲，因为方向错了，努力营销就只能是南辕北辙。

第一，把握机会的能力。从史玉柱的创业经历中，我们很容易就看到了史玉柱的“精细和敏锐”能力。20 世纪 80 年代末，中国深圳作为经济特区，发展前途无量，而史玉柱却毅然辞去公职下海。史玉柱在创业初期，就看准汉字桌面系统软件开发、20 世纪 90 年代初期开发保健品市场、2003 年将售出公司拳头保健品产品的知识产权及其营销网络 75% 的股权转而投资股票市场、2004 年进军网络游戏……尽管在这个过程中，史玉柱也有过失误和沉痛的教训，但是，在每一个经济发展时期，他似乎都抓住了熊彼特所说的“具有吸引力”的产业，而且善于将这些机会与企业资源有效地匹配起来，从而为他未来的财富帝国找到立足的根基。①

① 张映红：《史玉柱：创业精神缔造财富神话》，载《证券日报－创业周刊》2007 年 10 月 26 日。

第二，规范管理企业的能力（包括带队伍）。其实，史玉柱的规范管理企业的能力（包括带队伍）往往被大多数人忽视。在1997年史玉柱第一次失败前，由于他的管理能力存在巨大缺陷，尽管他的营销能力很强，但还是失败了。东山再起的史玉柱在脑白金的管理上采取了很多创新的模式，如：分公司只负责做推广，不能接触款项；主动采取制度来约束自己的行为；自己不能看公司股价等。在中央电视台财经频道《赢在中国》中史玉柱一次点评创业选手时说："企业的规范管理比发展速度还重要。"他还曾给创业选手建议："人有情，管理要无情。"这句话其实就是西方制度化管理的精髓。

不可否认的是，营销能力只是促进史玉柱成功的因素之一，绝不是唯一的因素。在做网络游戏时，史玉柱同时还将脑白金这种"好产品"的观念进行了延续。当史玉柱宣布进入网络游戏的两年之前，史玉柱就为大举进入网络游戏界做好了充分准备。在网络游戏《征途》的开发过程中，史玉柱也一直在以一个玩家的身份去发现各种问题。

在2008年3月8日，在以公司名称命名的网游《巨人》的发布会现场。媒体问及史玉柱将用何种方式推广新作《巨人》这个问题时，史玉柱的回答非常直接："实际上我在公司内部是不管宣传推广的，这一块由我们相应的部门负责。我也并不是很重视这一块，个人更感兴趣的还是研发。所以我更多的时间还是用来听玩家反馈的声音。"

史玉柱通常只关注玩家，从不理会同行评价。下面是网易科技对史玉柱的专访：

网易科技：《征途》给巨人网络带来巨大成功的同时也引起同行的非议，我不知道您怎么看待这种非议？刚才在发布会上您提到《巨人》便宜，是不是与之前《征途》被指责诱导用户消费太高有关?

史玉柱: 我们没有把同行评价看得太重,游戏贵还是便宜不看同行的说法而是看玩家反馈。前段时间有人指责《征途》人民币玩家虐待非人民币玩家,其实这款游戏中一点不消费的玩家也有七八万,这数字是遥遥领先的。

同行的指责和事实差别是很大的,所以相对来说我们对同行(的评价)不在乎,主要还是关注玩家的态度。因为竞争激烈导致玩家的选择很多,他们在选择一款游戏时,这款游戏价格贵不贵只是其中的一个指标。

玩家首先考虑的指标是好不好玩,然后第二或第三个指标才是贵不贵,我们当初做这个决策是基于这个事实做的,同行对我们的评价以及议论(我)往往不太关注。

网易科技: 您亲身打造的《征途》取得了很大成功,但是仅一款游戏也会带来盈利模式单一的问题,《巨人》的发布能否解决这个问题?

史玉柱: 这是可以解决的,一下子有两款游戏肯定比一款游戏对投资人来说感觉更好。我并不担心盈利模式,但是投资人担心,因为网络游戏在线人数一旦过 40 万人之后,就不太可能会失败。

盛大最主要的收入来源还是七年前的《传奇》,网易则依然还是《大话西游》。

游戏公司一定要有一个拳头产品,并不是说一个公司产品越多盈利就越好。产品多的话,销售额肯定会很大,但是盈利不一定是最好的。《巨人》这款游戏是投资人非常认可的。

网易科技: 您觉得目前中国网游(的发展)是处于什么样

的阶段?

史玉柱：处在高速增长阶段。我觉得中国网游的研发和国外还是有差距的，网络游戏成功的三大因素就是：美术、程序和策划。我们和国外比起来程序、美术上一定不弱，像我们的服务器技术在全球是领先的，3D客户端技术也是领先的。

中国和国外比起来策划差距比较大，中国的网游策划还处于小作坊式阶段，是一个人去想，而国外的网游公司策划是有一套很规范很严格的管理，就像生产线一样，我们中国没有这样的规范管理。所以中国的策划水平跟国外差距还是很大的。

记者：那么巨人网络在这方面有没有想什么办法来拉近同国外的差距?

史玉柱：首先跟国外交流。《巨人》在研发过程中跟国外的同行之间有很多的交流，再一个要研究国外的产品，就是它已经做成精品的产品你一定要去研究。交流主要是交流策划的管理模式，研究是看对方的思路，只能通过这些方面去学习。①

史玉柱介绍说："我每天在网游中投入的时间在15小时以上，公司的日常管理均交由总裁刘伟负责，甚至高层会议（我）也很少参加。"

在史玉柱看来，产品本身比营销更重要。与市场推广策略和公司战略相比，史玉柱本人也更愿意回答针对产品改进和玩家体会的问题。据《征途》项目负责人透露，史玉柱身兼主策划、最重要测试员、资深玩

① 史玉柱：《史玉柱：做企业不能只靠营销成功》，见 http://tech.163.com/08/0310/00/46KOP5K5000915BF.html。

家数职。史玉柱经常在凌晨给同事打电话，只要发现一个小BUG（缺陷），马上就得改。有些程序员忙到凌晨4点才回家，还没暖热被窝，就接到要求上线修改的命令。

史玉柱对产品的严格要求，使他对《征途》充满了信心。因而从2007年1月19日开始，史玉柱对《征途》在全国范围内进行“不是最好玩就赔人民币”的市场活动：

> 如果你认为《征途》玩法不是最丰富，请你删号我们赔钱。
>
> 如果你认为《征途》操作不是最便捷，请你删号我们赔钱。
>
> 如果你发现《征途》单区同时不足万人，请你删号我们赔钱。
>
> 如果有其他游戏比《征途》更好玩，请你删号我们赔钱。

“如果觉得《征途》不是最好玩的游戏，删号后我们就真金白银赔偿玩家人民币。”史玉柱向媒体公布了他的承诺。

史玉柱称，玩家的共同选择其实已经证实《征途》是最好玩的游戏。《征途》自2006年4月开始公测到2007年5月20日，仅用一年的时间就创造了同时在线人数100万的同类游戏最高纪录。

当谈及《魔兽世界》这个游戏时，史玉柱评价道：“《魔兽世界》这款游戏由于文化差异，在全球能够打80分，可是在中国只能给60分。”

史玉柱的理由是“网易的《梦幻西游》与巨人的《征途》人数远高于《魔兽》，并非游戏品质而是文化问题。”

史玉柱称，“衡量一款游戏是否成功，可以从玩家的骂声中得到反馈。如果玩家连骂都不骂，只能说明这款游戏的失败。”

在史玉柱看来，中国网游企业需要不断提高自己的研发能力，未来网游只有依靠大制作的精品战略才能取得成功。

史玉柱说："《魔兽》的研发就用了8年时间，《魔兽争霸》8年前就已经做出来了，后来不断改进后推出《魔兽世界》，并得到了大家的认可。世界上研发实力最强的队伍用8年时间来做一款游戏，这也是为什么暴雪是最强的游戏公司的原因。因为他们一直走精品路线。"

营销驱动型公司，老板要亲自抓营销

在一些合伙制的创业型公司中，一旦发展到一定规模最终都会分道扬镳。其中一个非常重要的因素就是老板没有亲自抓营销，结果使得初创企业快速滑落。教训非常惨痛。

对此，史玉柱在公开场合告诫创业者要亲自抓营销，特别是营销驱动型公司，老板更要亲自抓营销。

史玉柱说："我觉得老板必须自己抓营销，必须自己抓广告。只要老板不自己亲自抓的，这个公司一般没戏。因为老板亲自抓营销，就意味着这个公司的命脉是掌握在你手里了，其实比你掌握着资本还重要。对于营销驱动型的公司，营销就是个舵，你作为一把手自己都不去管这个方向，管这个最重要的舵，那这个公司很容易出错。像网络游戏，我就亲自抓研发，也就是产品、产品的体验。这个也很重要。大家一看我抓，所以整个研发人员，就特别注重这块，去开发个新功能，特别注重消费者的感受。广告也是。我一抓，全国的骨干、分公司经理、总部的人，就每天自己也在那琢磨广告的事、消费者的事。老板亲自抓，更大的作用是整个公司的资源，人力、财力、物力，会往那个方向去流。"

在史玉柱看来，作为老板，不仅要亲自抓营销，还必须抓细节。可能读者会问，为什么一把手要抓细节呢?

史玉柱是这样回答这个问题的："第一，细节太重要了，尤其是关键环节的细节。一把手抓细节，可以有效地减少项目所承担的风险。第二，模范带头作用。如果一把手是马大哈，下面的人也会和你一样，那这个项目就完了。一把手要抓细节，能让'细节为王'落实到行动中来。"

史玉柱撰文回忆说：

回顾我20年的下海生涯，也有上坡和下坡。恰恰这20年里有三个时期我是抓细节，自己亲自干的。

第一次是1989年，没钱没人，公司产品100%的代码都是我自己写的，所有的广告都是我自己写的，每个标点、每个字、每个设计都是我干的。

到1992年，公司已经有了十几个研发人员，公司的产品有六成的代码还是我自己写的。为了提高效率，凡是使用效率高的、重要的都加入统计，全部使用汇编来写。这个阶段，我们公司从零到了几百人的规模。

1997年，我们公司失败了，我又放下了架子。每个广告文案我全部自己写，管理手册全自己写。所有分公司直接向我汇报工作。全体员工没有经过我的脑白金产品测试不能上岗。包括跑市场，70多个城市，跑终端，没有上万，但绝对不低于5000元，那时至少3年的时间就是抓细节。

第三次就是我接手巨人网络的时期。正因为我不懂网游，所以我才抓细节。我每天待在游戏里的十几个小时，就是在观察细节，虽然我不能解决，但我可以观察。

回顾这20多年的历史，也只有这三个时期是上升的，其他时期要么是平稳，要么是小进步。①

在史玉柱看来，对于任何一个营销驱动型公司，老板都必须要亲自抓营销，只有这样，才能控制产品的研发和销售。

① 史玉柱：《史玉柱心得：一把手要抓细节》，见 http：//finance.sina.com.cn/zl/lifestyle/20130701/105515973145.shtml。

第二章
团队的力量绝不能忽视

一个团队好不好，首先要看作为核心人物的老板做得正不正，你做得不正，这个团队肯定会散掉。首先他们会观察你，你是不是一个斤斤计较的人？你大不大度？如果是一个小肚鸡肠的人，一有风吹草动，（他们）肯定就会离你而去。你对人真不真诚？你对你的部下真不真诚？如果你对你的部下内心不真诚，你会在你的言行上表现出来。我自我感觉我的缺点很多，但我对我的部下很真诚，这样彼此容易建立一种信任。

——巨人创始人　史玉柱

巨人网络的团队如何形成

在中国的创业团队中，史玉柱的巨人创业团队是极具争议的。一些媒体甚至常用“沉浮”、“动荡”来形容史玉柱的巨人创业团队。

研究发现，史玉柱和他的巨人系公司，让人印象深刻的不仅仅是他们绝地重生的奇迹、对大众市场的敏锐发掘，还有史玉柱身后的传奇团队。尽管其创业团队历经沉浮，但是无人能否认史玉柱巨人创业团队“嫡系”的稳固。

事实上，巨人团队各种版本的传言在中国以不同形式流传，却极少有人能一窥史玉柱和他的巨人系公司这一团队的真实面目。

然而，从 1992 年开始跟随史玉柱的刘伟，曾被媒体描述成史玉柱团队的“四个火枪手”之一，如今已是纽交所上市公司巨人网络的 CEO。

作为史玉柱团队核心成员的刘伟在接受《经济观察报》采访时描述这一团队的真实面目，以及他们如何在“不散”的同时保持开放性和扩张性。

刘伟坦言，巨人网络的高管团队由三拨人组成，第一拨人是“老巨人”。所谓的老巨人是指在 1997 年以前，也就是在珠海巨人垮下之前进入巨人的，如我。我们的副总裁里也有几个老巨人，如负责人力资源和媒体的汤敏，我是 1992 年来到公司的，她也是；负责营销的陆永华，他是 1993 年来公司的；负责行政、政府关系和打击私服事务的费拥军，也是 1994 年进入公司的；1993 年进入巨人的还有 COO 张旅。我们都是很久的同事。还有一部分人，是在巨人网络创业的时候，也就是在“征途”时期加入的，他们也算是这个公司的元老，但被称作“新巨人”。这些人是在 2004 年年底到 2005 年年初加入公司的，如宋仕良，他是在巨人网络创立时就来了，职务是 CTO；主管研发的副总裁袁晖，他和仕良之前就是老朋友；加上巨人事业部总经理丁国强，还有征途事业部总经理纪学峰，这四个人都是高管团队的成员，是新巨人。第三部分是“空降”过来的，最典型的代表是 CFO 何震宇。他是巨人上市前“空降”过来的一个台湾同胞。另外如万王之王事业部总经理张志宏，是去年“空降”过来的。

在刘伟看来，史玉柱不仅是巨人团队的队长，还在两个团队中担任重要的角色。刘伟说：“史玉柱应该说 99% 的精力都在巨人网络。脑白金和黄金搭档那边，包括现在的黄金酒，他其实已经不管具体业务，只是一个投资人的角色。那边的团队只是在做最终决策的时候，听听他的意见，然后根据他的商业经验和他的市场感觉来做判断。史总在这方面很自信，做保健品，有时候他就说，'这个事情就这么干了，我这么多年的市场经验告诉我'。"

刘伟还强调："在团队凝聚上，史玉柱更多是一个'图腾'一样的角色。他做精神领袖的角色多一些。特别是在保健品那边。团队上肯定会有一些矛盾，也包括融合难度，但他尽可能不管。"

当《21世纪经济报道》记者问史玉柱："外界评价您在'带队伍'这方面，做得比较好，不管你是哪一次创业，不管是顶峰还是低谷周期，核心团队一直在。"

史玉柱的回答是：

> 我觉得这是两个方面，第一个首先是你和团队之间的这种心理距离，要保持距离，不要太远，这个怎么做的呢？你看地主老财，为什么做不大，他老是把长工当佣人，你是不尊重他，只要你尊重他了，你遇到困难的时候他会帮助你，所以首先你要尊重他。
>
> 另外说到平时的言行上，一旦老板获得利益了，你一定要让他们分享，不能太抠，不要做周扒皮，否则没人愿意跟你，我觉得这方面，我们算合格，这次一上市，亿万富翁出了一批。
>
> 第二，你平时要敢于放开，不要什么权都要自己抓着，甚至出张支票都要自己签字报销，我们公司不大只有十几个人的时候，我就有这个习惯，什么事喜欢放给别人去做，放给别人做以后比自己做好，刘伟我就研究过，有很多事，我放给刘

伟做，然后我自己做，我发现她做得比我好，因为她做有压力，她做得不好上面有一个人会说三道四，我自己做就没有这个压力了。[1]

史玉柱的四个火枪手

在史玉柱的巨人创业团队中，陈国、费拥军、刘伟和程晨被称为史玉柱巨人创业团队的“四个火枪手”。史玉柱在二次创业的初期阶段，“陈国、费拥军、刘伟和程晨”很长一段时间里都没有领到一分钱的工资，但是陈国、费拥军、刘伟和程晨这四人始终都不离不弃，一直追随史玉柱左右。

据巨人网络 CEO 刘伟介绍，巨人公司虽然经历了数年的停业，但是“脑白金”分公司的经理有一半都是最初跟随史玉柱起家的人马，这些人在脑白金已工作六七年，而脑白金和征途的多数副总更是早在 1992 ~ 1994 年期间便是巨人公司的员工。

在人们的意识中，“树倒猢狲散”往往是对任何团队都适用的。然而，史玉柱却打破了这个桎梏。可能一些创业者会问，史玉柱，这个技术出身的创业者，而又似乎是偏执的巨人独裁者，为何在“巨人”倒下之后，欠债 2.5 亿元的他仍有如此大的影响力，使得整个团队二十多人几乎都没有离开史玉柱，却追随他蛰伏了数年后东山再起。从最早的计

---

① 段晓燕、周惟菁：《史玉柱：说到做到是领导力第一条》，载《21 世纪经济报道》2009 年 10 月 24 日。

算机产品到保健品，再到现在的网游，几乎是同一帮人马在策划运作。究竟是什么原因，使这批人才聚集在史玉柱身边呢？

即使遭受很大挫折，史玉柱为何能让巨人团队一直不散？刘伟分析认为，主要有如下三个方面，见表 7–2–1：

表 7–2–1　巨人团队不散的三个因素

（1） 史玉柱本人的包容性	史玉柱本人的包容性。巨人东山再起时，他叫回来了很多人，包括很多“老巨人”。这些人之前的表现并不是都那么好。也有人甚至在走的时候都没有打招呼。各种情况都有。但是史玉柱看的还是大方向：第一，人品有没有问题；第二，他是不是可用之才。如果这两方面都符合，即使有些小毛病、小问题，史玉柱也会不计前嫌，毕竟人无完人。史玉柱经常说，只要这个人能用，品质还可以，就大胆用。这是他用人的原则。
（2） 史玉柱个人能力很强	史玉柱个人能力很强。他基本上能让大家觉得，跟着他能够有发展。哪怕是在公司不行的时候，史玉柱也有很强的势能，让人觉得，跟着他做，比自己单独做要好。如果大家都认为，跟着你还不如我自己搞几条枪自己做，那这个团队就不行了。
（3） 诚　信	史玉柱对自己的团队，说到做到。史玉柱答应给员工的股份和期权，不管后来发生了什么变故，只要有过承诺，一定做到。

在陈国、费拥军、刘伟和程晨等追随者看来，尽管一部分人认为史玉柱带着“邪气”，但是却能“当你绝望的时候能让你看到希望，能跟着走”，更是个重情重义的人。巨人网络 CEO 刘伟较高地评价史玉柱。

而费拥军曾经与史玉柱一起爬过珠峰，说起追随他多年的理由，喜欢用“亲情”一词来评价自己与史玉柱的关系。

当巨人集团陷入财务困境时，程晨甚至从家里借钱来救史玉柱于危难之中。

在史玉柱“新嫡系”团队成员中，纪学锋就是其中的代表，纪学锋是征途项目负责人。纪学锋的评价是：“公司各方面都很开明公平，只要有实力，就会有机会。在管理上不会拘泥于太多的规则，大家做事的时候拼命做，小事则不拘泥于细节，整个过程能够让人实现个人价值。很多企业包括外企规则管理，把人管得太死。”

的确，在企业经营正常的情况下，团队的激励相对容易一些。然而，对于史玉柱来说，团队激励却是有点难度的。因为在修建“巨人大厦”失败之后，摆在史玉柱面前的首要任务是如何维系团队的奋斗向上、保证企业的向前发展。

而史玉柱的做法是：不定目标，缜密论证，步步推进，一咬到底。这一习惯，贯穿在征途两年多的发展轨迹中。

在一些创业企业中一些创业者提出人们普遍认同的愿景，并使用有效的手段加以激励，这正是领导力的核心特征所在。

事实证明，愿景是激励团队的一个重要因素。1998 年，在脑白金项目启动之前，巨人团队成员从珠海去无锡的路途中，此刻的史玉柱依然重视团队的激励，对那些坐在面包车里 20 个月没有领到工资的追随者承诺，一旦脑白金项目赢利，一定会重金补偿。

史玉柱在研发《征途》这个项目时，史玉柱就坦然告诉所在团队的成员一个信息——巨人网络将来会上市。在研发《征途》时，几乎没有成员会相信这个事实。

当然，作为创始人的史玉柱，不仅擅长实操，而且也擅长处理与部将们的关系。他充分放权，无论是人权还是财权，但也会在每次商业成败的关键环节亲历而为。员工管理上，史玉柱只关注骨干层，如今，这群人的数量大约在二三十人，这一点是他认为一直做得不错的，二次创业以来，“我的骨干一个都没有走。在底层我也管不着，骨干没管好，下面的人有可能会走。”

史玉柱在做脑白金时，亲自调研了300名顾客，巨人公司向外发布的软文，史玉柱与团队成员一起，按10大标准篇篇审核。

与员工是追随而非伙伴关系，史玉柱坦言，这与他曾经的经历有关。在1989年第一次创业时，史玉柱就因为在处理员工的问题上困惑过。

当时，两名员工与史玉柱在利润分配和股份多寡上发生争执。协商无果之后，史玉柱一怒之下摔了2台IBM286电脑。

从今以后，史玉柱就决定，今后身边的人将只是追随者而非合作者。他从来也只考虑子公司与人共股，母公司一定自己控制。在提拔员工时，史玉柱更喜欢提拔战术人才，而非战略人才。

在关键岗位上，史玉柱往往喜欢启用跟他打拼过来、经历过生死的人。在史玉柱看来，内部的员工就像是地底长出的树根。他感激困难时期几年没拿工资的陈国与费拥军。巨人集团时期，他也曾为强化内部管理，空降了一位高管，结果出了乱子。经历了二次艰难创业，那些内部人，史玉柱最看重的还是“德”，他自信5年时间能看出一个人的德性。当然也包括已经熟悉多年的人。征途的一名副董事长，是史玉柱18年前赊账买电脑的那家小公司当时的副总经理。“四个火枪手”中的刘伟与程晨两位女性位居高位，在史玉柱看来，“女性从忠心角度来说可能会好点”。[①]

当巨人网络上市后，史玉柱对团队的建设同样重视。史玉柱认为人才是否会流失，关键在于两点：一是待遇，二是员工的自我价值实现。

① 谢扬林：《马云的18罗汉与史玉柱的4个火枪手》，载《中国经营报》2007年11月11日。

在对员工的考察中，史玉柱给员工的往往是五年期权。史玉柱在接受媒体采访时谈到，给一个员工五年时间，足以能看出一个员工的德性。史玉柱说："我需要充分信任的人不用多，四五个就够了。"

史玉柱只用部下，不找外面的人。史玉柱坦言，不用空降部队。史玉柱说：

外面哪个人是个MBA毕业的，是个海归，这个人有多大本事，然后聘来做总经理，这种事我们不做。不是说他没有本事，而是中国很多企业的特点造成的。

现在回过头来看，过去十年之内，至少五年前吧，凡是用这种方式引入的，中国的企业成功概率非常小。

为什么会失败呢？固然他有可能很有本事，但是有没有本事是相对的。比如一个外科医生，在他的手术室里面，他是个人才。但跑到商店里面，要当促销人员，可能他还不如一个小学毕业的。他就不是一个人才了，他这个人才是相对的。

每个企业都有自己的特点，每个企业都有自己独特的文化。在其他的企业里面，是个人才，那只能说在那个特定环境下，是个人才。换了个环境，你就不一定是人才。

再一个，企业发展的过程中，你已经积聚一个队伍了，这个人即使是个人才，但是根据中国的传统文化，原来的队伍是不会接纳他的。你老总、董事长再怎么扶他，只要中层干部抵制他，只要内心里每个人稍微抵制点，他工作都展开不了。你再有本事，只要大家抵制你，你也没办法。但是你也不可能引进一个大海归，就把所有过去的人通通都换掉，也不可能。

另外还有一个原因呢，现在外面知名度高的说是人才的，实际上有很多也不一定是真人才。因为是真人才的人啊，往往是不爱说话的。实际上，真正的人才很少说这句话“我很能干”。

我看我过去用过的人里面，真正能干的人很少说“我的水平高，我怎么样”，凡是直接就说自己水平很高的人，最后来看，没有一个是人才，因为他都满足了嘛。①

在史玉柱看来，在“德”和“才”只能选其一的时候，史玉柱肯定选择“德”。史玉柱确信“才”的标准很简单——办事成功率高的人就是人才。

对此，史玉柱说：“我只看他的成功率，不听他说的。”这就是史玉柱为什么更喜欢战术人才，而非战略人才的一个重要原因。

团队才是史玉柱东山再起的重要力量

在当今社会，对于任何一个创业者而言，个人英雄主义都是难以取得成功的，只有发挥团队的力量，才能在激烈的竞争中占得先机。

东山再起的史玉柱就坦诚团队的重要性，在总结自己能够东山再起的原因时，史玉柱列举了两个原因，其中之一就是团队：第一，史玉柱这些年经受的挫折和教训；第二，史玉柱的核心团队，能和他一样去拼杀的团队。

对此，史玉柱在接受媒体采访时说：“我身边的几个骨干，在最困

① 史玉柱：《史玉柱自述：我是怎么带队伍的》，载《电商报》2013 年 6 月 17 日。

难的日子里，好几年没有工资，他们一直跟着我，我永远感谢他们。脑白金问世之前，我吃不准，问他们：'行吗？你们觉得有戏吗？'他们总给我非常肯定的回答：'行，没问题，肯定行。'身边的几个骨干，在最困难的日子里，像'上海健特'总经理陈国、副总费拥军，好几年没有工资，他们一直跟着我。那时候，也是他们陪伴我爬完了珠峰。我永远感谢他们。"

在史玉柱看来，他之所以能够东山再起，是因为有团队的重要力量支撑。试想一下，一支团队长期跟随某一领导人，在其最艰难的时候，团队依然坚如磐石，这对于渡过难关何其重要。这是史玉柱比别人的幸运之处，也是史玉柱能够再次站起来的宝贵财富。

尽管史玉柱历经惨痛的创业失败，然而，这没有打垮史玉柱这个团队的锐气，甚至还激发了他们从头再来的勇气。

客观地讲，史玉柱团队不缺经验和能力，但史玉柱的失败激发了他们和史玉柱休戚与共的成就欲望。作为曾经是一名史玉柱的手下的蒋涛却一直不明白，为什么史玉柱在用人时，总是选用忠心的员工，而不用所谓人才？

时任 DONEWS 网站总裁的刘韧分析史玉柱时，很羡慕史玉柱的团队建设。特别是在史玉柱失败时，跟着史玉柱的都是忠心的人，没有所谓的人才。这就是史玉柱为什么偏爱用忠心的人，而非所谓人才的一个重要原因。

当然，在史玉柱的团队中，最为著名的忠臣良将就是被史玉柱称为"四个火枪手"的创业伙伴。

例如，史玉柱大学同学陈国，被史玉柱喻为"睡在下铺的兄弟"。陈国为巨人作出过巨大的贡献。当巨人处于最困难时，陈国不得不面对众多上门讨债的合作者。

在这段最艰难的日子里，陈国不仅要应对讨债的人，而且还全面统计了巨人大厦销售出去的楼花，并予以存档处理。正是陈国的坚守，为史玉柱后来还债提供了直接的依据。

时任黄金搭档公司副总经理的费拥军，在史玉柱这个团队中，也为巨人做了不少贡献，一直追随史玉柱。

在“四个火枪手”中，其中两位是女性队员——刘伟和程晨，业内公认，刘伟和程晨为史玉柱重新创业立下了汗马功劳。

当媒体记者问史玉柱：“怪不得外界评价您，说您很会用人。”

史玉柱是这样回答的：

> 我以前用人，离开巨人的人累计也有上万人，但骨干这些人，基本上还没有骂巨人的。企业文化是我在最困难的时候反思比较多的地方，为此我找老柳（联想创始人柳传志先生）聊了好几次。我觉得我的企业文化扮演什么角色？企业文化实际上是大家的一种习惯。
>
> 为什么企业文化很重要呢？因为管理一个公司，（管理者）毕竟是不能面面俱到，另外管理，不管怎么制度化，必然是会有漏洞的，别人如果想钻漏洞，总是能找到的。
>
> 所以，一个企业，全靠管理是不行的，必须要有企业文化这种无形的约束。管理加上文化，这个企业才能健康。企业文化起什么作用呢？就是要起到制约于企业发展不利的一些大家的习惯和错误的认识，要把这个问题给解决掉。
>
> 像我过去在珠海巨人的时候，存在几个问题：一个是下级对上级经常拍胸脯，我保证完成这个任务，如下任务指标的时候：“没问题，我保证完成！”到时候不完成也没事，下次又这

> 样吹牛。下级的随意性，上级对下级失去信任；然后上级也经常许诺："你这个任务完成了，我发一千块钱奖金给你。"最后突然间发现，这个任务其实很简单，两分钟完成了，这么容易完成的，不发了，或者改别的了，所以下级对上级又不信任，我过去知道珠海巨人休克的时候，这个情况一直存在。所以后来，我们的企业文化里面，第一条总结就是说到做到，做不到你不要说。①

不可否认的是，史玉柱具有如此强大的凝聚力和人格魅力，是因为史玉柱懂得团队管理和建设。研究发现，史玉柱的核心团队里都是一些有着成就欲望的人，都是一些有着强烈事业心的人。

史玉柱在团队管理中，明确倡导只认功劳，不认苦劳。史玉柱说："苦劳对一个企业是没有任何贡献的，它不会带来任何利润。但是中国的文化里面呢，这个传统就经常说，我没有功劳还有苦劳呢。所以你要把这句话明确地提出来，我们企业只认功劳不认苦劳，把它灌输下去，大家一旦认可之后，这样企业的效率自然就会高。"

在史玉柱看来，团队才是史玉柱东山再起的重要力量。因此，就必须把团队建设做好。

在建设团队中，史玉柱采用的方法是，将辣椒抹在猫屁股上，不过，也绝不吝啬拿鱼去奖励。史玉柱强调，要想使企业成为百年老店，最大限度地发挥团队成员的主观能动性。就必须拿出高薪来激励。对此，史玉柱甚至为招聘研发策划总监一职开出了 1000 万元年薪的高价。

---

① 段晓燕、周惟菁：《史玉柱：说到做到是领导力第一条》，载《21 世纪经济报道》2009 年 10 月 24 日。

史玉柱在做脑白金项目时，为了构建高绩效团队。他只给派出去的省级办事处管理者发工资，而区域营销队伍中其他人的工资和奖金，则是从每箱脑白金产品的利润中拿出4%。而区域管理者的营销费用也必须是从脑白金的销售提成中出。

在团队管理中，史玉柱坚持民主决策后要坚定地执行。史玉柱说："我觉得在公司内部，民主集中制很重要。早期在做公司的时候，往往是我不民主，然后中间也有过不集中的时候，其实都不是很好。公司的决策一定要既有民主，又有集中。任何一个人的脑袋都会犯错误，你是老板，是个天才，你也会犯错误。我前面说，我过去自以为想成熟的，70%的都是错的，作为一个企业的负责人，我错误的东西是很多的，所以我只能和自己的企业内部骨干多交流，多征求他们的意见，决策权一定要民主。决策完了之后，只要不是方向性错误，就要坚定地执行。有时候登山有很多条路，有可能你选的这条路不是最近的，有可能远一点，但是如果你坚持走；总比那种你走了一条路，发现不是最近的，说另外一条路近，然后再下山再去登那条路，发现又不是最近的，登了一半再下来。总比那种好。"

在团队管理中，史玉柱只关注骨干层，很少关注一线员工的管理。巨人公司如今的骨干成员大约有二三十人。这一点史玉柱一直引以为豪，特别是二次创业以来，史玉柱说："我的骨干一个都没有走。再底层我也管不着，骨干没管好，下面的人有可能会走。"

对马云来说，他喜欢的是唐僧的团队组合，而不是刘备团队的完美。在《赢在中国》中，他说："今天的阿里巴巴，我们不希望用精英团队。如果只是精英们在一起肯定做不好事情。我们都是平凡的人。平凡的人在一起做一些不平凡的事，这就是团队精神。"

第八部分

给员工高工资时成本最低

根据我的经历来看，给员工高工资时，实际成本是最低的，公司是主动的。在人才面前，若你比其他竞争对手给出的工资高一截，一年之后你回过头来看，你所获得的利润远远高于你所付出的成本。企业最高的成本不是给合格员工发高工资，而是还在给大量不合格员工发低工资。

——巨人创始人　史玉柱

第一章
对中高层经理要充分授权

你要培养人，要放手，比现在再大一点可以，超过了一百人之后，你个人的能力就不行了。这时候，按照现在到一百人，很多事你管不了了，你公司的危机就爆发了，管理就进入危机期了。

——巨人创始人　史玉柱

对中高层经理要充分授权

任何一个管理者都必须对中高层经理充分地授权，而且还要“用人不疑，疑人不用”。事实证明，中高层经理只有得到创业者充分的尊重，才愿意发挥自己的管理能力。

关于充分授权的必要性，史玉柱在《赢在中国》点评时说道：

钱俊东（《赢在中国》选手）的投资是风险最小的，因为你是圈资源，风险最小。另外你的个人才华应该也是比较出众的，你之所以发展到今天，是靠你的个人才华在起作用。我提几个建议，你这个公司对你的依赖性太强，哪一天你住院了就停了，哪一天你离开了就破产了。你的团队作用还是没有充分发挥出来，你没有充分重视这个问题。你要培养人，要放手，比现在再大一点可以，超过了一百人之后，你个人的能力就不行了。这时候，按照现在到一百人，很多事你管不了了，你公司的危机就爆发了，管理就进入危机期了。

2001年，当“脑白金”的销售额突破13亿元后，史玉柱随即授权大学时睡在他上铺、时任上海健特总经理的陈国打理日常管理事务。

史玉柱授权给陈国，这符合史玉柱的选人标准。因为巨人大厦失败后，“陈国、费拥军好几年没领工资，也一直跟着我。”

然而，遗憾的是，2002年，时任上海健特总经理的陈国意外发生车祸身亡。据媒体报道显示，当时史玉柱正在兰州开会，而他却在最短的时间内返回上海。当史玉柱赶到上海某医院时，陈国已经奄奄一息。与当年巨人集团的倒闭相比，陈国的去世对史玉柱的打击同样巨大，史玉柱停掉公司所有业务，专门处理陈国的后事。

史玉柱在接受媒体采访时回忆说，那是一种“断臂之痛”。从那以后，史玉柱对骨干成员的要求很高，史玉柱规定：“坐（驾以）SUV为主，另外加了一条规定，干部离开上海禁止自己驾车。”在每年清明节，史玉柱和公司高层都要去给陈国扫墓。

陈国去世后，史玉柱没有重新接管“脑白金”的日常管理事务，而是将“脑白金”的日常管理事务交给了文秘出身的刘伟。至于原因，史玉柱曾说：“刘伟做上海健特副总时，她分管的那一块（领域），花钱就是比别人少很多。”

史玉柱在接受媒体采访时说：“（刘伟）跟了我十几年，没在经济上犯过一回错，我自然非常相信她。”而刘伟表示，自己虽然能叫出这三百多个县、市、省办事处经理的名字，但具体管理还需要史玉柱提供思想和方法。

2013年4月18日，巨人网络集团有限公司宣布，董事会任命原总裁刘伟女士为CEO，原常务副总裁纪学锋先生为总裁，该项决议将于2013年4月19日生效。

巨人网络董事会主席史玉柱说："公司上市以来，尤其是过去的三年里，以刘伟女士和纪学锋先生为核心的管理层在公司重大战略的制定和执行方面表现优异，成功应对了每一次困难和挑战，带领公司持续保持业绩增长，这是十分了不起的成就。董事会和我坚信以他们的领导和执行能力定能带领公司开启新的篇章，将公司业务推向一个新的高度。"

授权还必须控制一些风险

史玉柱的选人标准就是两个，即毛主席说的"又红又专"，红指被选人的人品好，专指被选人员业务好。

史玉柱坦言：

> 其实这个是两方面的，任何一个团队在周围找人，都是能找到合适的人的，又红又专的人都是能找到的。红，我想稍微有一点经验的人，其实他的人品早期还是能看出来的；专，其实很大部分跟培养有关。
>
> 你如果给他放那个位置，却不授权给他，那他永远专不了。

你要把他放在那个位置上，还要授权给他，然后培养他。

其实我挺保守的，当然我有一个特点，一般关键岗位用人，我都是用跟我10年以上的人，像刘伟，都已经跟我快20年了。几个关键岗位的人，跟随我差不多都在15年以上。这种人，能力你肯定了解了，跟你3年就已经很清楚了，红的问题自然解决了。

过去给她这么多经济上犯错误的机会，她都没犯经济错误，经过考验的，所以也没事。所以我用人上面，我觉得还好，从没出什么太大的问题。①

在史玉柱看来，只有授权，才能成长。在《征途》最初的开发团队中，史玉柱非常重视团队的建设和授权，甚至还亲自了解每个研发成员的情况，根据每个研发成员不同的特点分派不同的工作。

在《征途》网络游戏的开发中，主要由两个部分组成：创意策划和程序设计。而作为《征途》网络游戏的“总设计师”，史玉柱亲自抓创意策划。

在《征途》这款网络游戏中，所有活动和功能设置都必须经过史玉柱的同意。然而《征途》这款网络游戏里的程序设计，史玉柱则授权给了研发团队。

而一些媒体则说史玉柱本人兼任《征途》的主策划，面对媒体的质疑，史玉柱坦言：“我一直没有担任过主策划，有可能很多人说我是扮演这个角色，但是我一直没有担任主策划。我的角色更多的是相当于国

① 史玉柱：《史玉柱自述：我是如何带队伍的》，见http：//www.taihainet.com/news/cjews/2013-06-16/1085324_2.html。

外叫做‘不管部的部长’一样，我看到啥都不管，但是关注玩家，哪里有问题我就直接找哪个部门的负责人解决。”

在史玉柱看来，授权才是王道。史玉柱授权给很多巨人网络的核心成员、时任征途事业部的总经理纪学锋。史玉柱坦言：“我觉得他（纪学锋）比我做得更好。”

从 2007 年 8 月开始，史玉柱就逐渐退出《征途》网络的管理。最初纪学锋还会就一些拿捏不准的细节请史玉柱把关，后来连团队大方向也直接由纪学锋掌控，完成了征途团队的独立培养。

史玉柱不当总裁，只指挥大事。当然，在授权时，还必须把一些风险控制在安全范围内。史玉柱说：“用人，他可能是 70 分，我可能是 90 分，我授权的时候，我就要忍受这个 20 分的差距。必须忍受，我也能忍受。例如我前面说的保健酒，我看到就不行。这个做是能做，但是我总觉得，最后这块的利润对公司的贡献，比脑白金会小很多。虽然我觉得不行，但是决策权在他们。最后他们就做了，当然也不能说是失败的，但是也不能说是成功，所以他们自己后来也觉得我当时的提示是对的。但交一次学费不就好了吗？下次就不这么干了。”

从另一个方面来说，史玉柱是在给自己空间，也给下属空间。史玉柱说：“消费品企业，尤其是营销类消费品企业管理重点还是在两个方面：一是制度的建设，二是企业文化的建设。第一点是他能不能得到他满意的经济回报，从而能改善他的生活，这是很正当、很合理的要求；第二点是他的个人价值能否实现。基于这两点，我重新设计了一套制度，这套制度的第一点就是要充分体现多劳多得、少劳少得、不劳不得。第二点就是这套制度要体现出充分授权。其实权利很烫手，能不在自己手里就不要在自己手里，只要能将权利、责任、利益充分合理配套，将它分散下去是最好的选择。”

在史玉柱看来，授权并不等于撒手不管。对于巨人网络的某些事务，史玉柱坦言：“实际上这个公司的日常运作我是一点不管的。我要有什么想法、看法的时候，会通过网络及时发个信息给他们。他们对我的看法会去研究，有否定我的看法的，也有肯定的。”

不过，巨人网络赴美上市后，史玉柱在巨人网络公司的角色发生了巨大的转变。史玉柱在接受媒体采访时坦言：“上市前我就是公司的一个股东，从接手这家公司开始到上市，我在公司里什么都管。上市后，我们的分工就比较细了，我就管两点，一个是发展战略，另一个是研发，剩下的由总裁刘伟管理。”

而如今担任巨人网络 CEO 的刘伟说道：“感谢董事会和史总对我的信任。巨人网络是一家有着强劲研发实力和优秀文化的公司，创业八年多来成绩斐然，今后公司将持续致力于深化 MMO 产品线，拓展多种类型游戏研发，并继续推进页游战略。2013 年公司也已开始对手机游戏研发进行战略布局和投资，以抓住新的发展机遇。巨人网络将继续提升自主研发和不断创新的能力，打造中国网游行业最优秀的自研品牌。公司管理层将努力保持高效的执行，在推进公司营收稳健增长的同时，维持行业领先的利润率，不断为股东创造价值。”

既然授权，就必须放权。在媒体问及是否还掌管脑白金等保健品的业务时，史玉柱坦言说：“我还是全身心地投入到巨人这家公司，我已经从保健品那边的管理退下来了，那边的日常事务、决策我已经不参与了，我只是在那边挂了一个董事的头衔，那边的事我已经基本不参与了。”

可能读者会问，如何授权呢？史玉柱的答案是：“我授权比一般的老板会彻底一点。就是下属非常坚持的，如果我不是 100% 有把握，我一般不会否决他。我只是觉得，我也没有把握 100% 说会失败，最后它也不能完全说失败，但是称不上成功，称不上大成功，所以我觉得与花那么多精力比起来不太合算。

“我还是觉得,选中了人,然后给予授权,给予科学的一些监督就行。

“我的几个企业，用的都是我内部的老干部，但像创业的人，上来就应该这样：你先带他带一段，送一段，然后充分授权，因为只有在充分授权之后，他成长才能更快一点。

“要允许他犯一些错误。当然如果是灭顶之灾的错误不能让他犯，但是作为一个一把手来讲，你已经去抓了命脉了，其他的地方只要不是财务问题，只要不是安全问题，它一般也不会是灭顶的，一般来讲犯个错误还有纠正机会。”

第二章
让开宝马的员工有干劲

我们研发骨干的待遇在中国肯定是最高的。我们上市的时候有亿万富翁21个，这里面大多是我们的研发骨干，后来股价下跌没有这么多（钱了），但是也有几千万。所以我们给员工的待遇非常好。

——巨人创始人　史玉柱

强化巨人员工的归属感

在创业型公司中，一些创业者往往把企业员工排斥在外，只有自己的家族成员才能享受到无限的权力和自由，甚至是认同感和归宿感。

柳传志要把联想打造成“没有家族的家族企业”。他曾说：“家族并非骨肉亲，而是一种凝聚力，不断地吸引年轻人到联想来工作。”史玉柱的强化巨人员工的亲情关怀与之如出一辙，其实他们的最终目标都是在强化员工的归属感。

巨人集团的费拥军用“亲情”一词来评价自己与史玉柱的关系，足可以看出员工归属感的巨大作用。

在中央电视台财经频道《赢在中国》第二赛季晋级篇的第九场中，

创业选手李海镛，男，1975 年生，硕士学历。他的参赛项目是，高档铝合金门窗的生产和销售。

李海镛是这样介绍自己的创业项目的："主要向国外销售供豪宅使用的高档门窗。高档门窗在我国还是一个缝隙市场，大概有 40 亿的市场存量。"

其中李海镛提到其现有公司是一个家族公司，成员主要是家族内部的人。公司的团队构成是 5 个人，李海镛主要负责海外市场的开拓及客户服务，而李海镛的父亲是 CEO 和董事长，其余工作人员很大一部分也是公司之前的老员工。

针对李海镛介绍的情况，史玉柱从家族公司员工归属感的培养方面对其进行了总结点评："我对你的印象非常好，你非常年轻，而且你谈的很多话已经超越你的年龄，是只有那些久经沧海的人才能谈出来的，你很有才华，是一个脚踏实地做事的人。你在公司的确起了很大作用，而且你自己还亲身干，这点我非常钦佩。但我对你提一个建议，就是家族公司的问题。家族公司有成功的，但是家族公司比公众公司成功的难度要大，你怎么样解决这个问题？我的公司，像巨人集团，我 100% 持股，但是我怎么处理？我只是给你做参考，我（的公司）虽然也是家族公司，但是我的员工没有（将它）当成家族公司。我是怎么做的呢？我的公司有一个原则，我的亲戚不能来公司，直系亲属不能来公司；非直系亲属如果到公司，不能当干部，看门、开车可以，但是作为公司骨干不可以，我一刀切。这样我和员工处理关系，我自己觉得很轻松，他没有把公司当成家族公司来看待。家族公司有一个非常不好的方面，举一个例子，假如你太太在公司，你的太太说一句话，这句话哪怕是正确的，都会有员工去议论它，去从负面角度议论它，这样给你的管理带来很大的麻烦。还有就是家族公司很难做大。家族公司有弊端，你再做大就有问题，你的骨干归属感的问题。家族公司很多（员工）没有归属感。你的未来很有可能会成功，但风险公司一般不会投你。你的项目介绍给观众，你的目的达到了，而且你还有路可走，我在这个地方祝福你。”

在点评李海镛的创业项目时，史玉柱认为，家族公司有成功的，但是成功的难度比大众公司大，这是因为大多数家族公司都不能很好地解决骨干归属感的问题。在此，史玉柱以自己的巨人公司为例，提出“直系亲属不能来公司，非直系亲属如果到公司，不能当干部，看门、开车可以，但是作为公司骨干不可以”的操作方式，尽管在某种程度上有些“不仁不义”，却非常有利于公司的发展，值得借鉴。

作为一个家族企业的领导者，李嘉诚说过：“忠诚犹如大厦的支柱，尤其是作为高级行政人员，忠诚是最重要的。当然，具备了忠诚，还要讲求其工作表现及对公司的归属感，若没有归属感，员工掌握了工作上的知识及技能便离开，对公司也没有好处。”

如何使企业的员工拥有归属感呢？来自巨人网络公布的招股书显示，史玉柱的女儿史静占据了18.57%的股份。对于自己的女儿为何占据了这么多的股份，史玉柱解释说：“这是因为我自己的单一股份太大了，所以我把一部分股份转让到了女儿的名下，而女儿对自己拥有这么多股份一事并不知情。”①

史玉柱坦言，尽管史静也爱玩网络游戏，但他不会考虑让史静在未来进入巨人网络担任职务，这值得家族企业学习。

当媒体记者问史玉柱：“很多中国企业，尤其是民营企业，都习惯提倡‘家文化’，巨人过去也这样，现在怎样？”

① 佚名：《史玉柱：女儿也爱玩网游　但不知道自己有股份》，见http：//it.sohu.com/20071101/n253008089.shtml。

史玉柱的回答是："巨人大家庭，现在还延续，现在我们还在建食堂，伙食要好，饭菜要好，但这种文化也是在不断地变，不断修正、调整的。我们第二次创业，因为我们已经到了最低谷，已经到了比海平面还低了，相对来说，我们不提太空洞的东西、虚的东西，就是什么实用我提什么的，那种虚的东西，相对来说搞得比较少。"

把每个人放在合适的位置

"21世纪什么最贵？人才。"这句电影《天下无贼》中黎叔的经典台词却道出了中国企业管理者们的心声与无奈，这句台词也得到了广泛的社会认可并迅速在社会上传播开来。

事实上，在当今竞争日益激烈的知识经济时代，科学技术的飞速发展决定了技术成为决定国家或企业是否具有竞争力的一个重要因素。而技术创新与进步是由核心的人才来完成的。因此，技术的较量归根到底就是核心员工的较量。

在2008年1月苏州游戏产业年会上，时任金山董事长的求伯君对史玉柱、唐骏、朱骏等人说："我希望有些新进的企业不要再使用非正常化的手段招揽人才。"

而史玉柱却不认可求伯君的说法，他说："一个公司的开发人才总是留不住，问题出在这个公司本身，好的人才，就值好的价格。"

史玉柱的观点得到了马云的认可。马云坦言："员工离职原因归根到底，只有两点最真实：（1）钱，没给到位；（2）心，委屈了。这说到底就一条：干得不爽。员工临走还费尽心思找靠谱的理由，就是为给你留面子，不想说穿你的管理有多烂、他对你已失望透顶。作为管理者，定要乐于反省。”

其实，史玉柱的观点是很正确的。据史玉柱介绍，巨人网络100多个骨干中，个个都被猎头约谈过。史玉柱说：“你看他是在工作，搞不好就是在MSN上和猎头谈条件。”

微软软件首席设计师比尔·盖茨在接受《华尔街日报》采访时曾开玩笑地说，谁要是挖走了微软最重要的几十名核心人才，可能微软就完了。

其实，比尔·盖茨只是透露了一个公开的秘密：企业能否有效留住核心人才，将是一个企业能否持续发展和基业长青的重要因素，因为核心人才是一个企业最重要的战略资源，是企业价值的主要创造者。特别在经济全球化和跨国公司核心人才本土化策略实施的同时，我国企业将面临着越来越激烈的核心人才竞争。

虽然企业领导者在日常的管理中都非常注重核心人力资源在企业中的作用，也都意识到核心人才的重要性，都想研究出一套核心人才的管理方法，但是在留住核心人才的管理流程中还存在着诸多问题。因此，留住核心人才，已成为让企业领导者、CEO、人力资源部经理们十分关注的问题之一。

为了留住核心人才，从而避免人才流失所带来的诸多风险问题，第九城市董事长朱骏就采取了参股小公司的方式来留住核心人才。

而史玉柱则坦言，用参股小公司的方式来留住核心人才的方式不可取。史玉柱说：“他参股也很难避免风险呀。我觉得要避开风险，要做好几个工作，一是产品不能过于依赖一个人，这个团队有八九个人，核心（成员）五六个人。如果过分依赖一个人是有危险的。二是如果赚钱了，就要优先考虑这个团队的利益。”

在史玉柱看来，留住核心员工，必须留住核心员工的心才行。一旦团队中的核心成员中有人提出辞职时，史玉柱则采取“不要挽留，既然提出了，他迟早是要走的”措施。

史玉柱说：

> 不挽留原因是这样的，一旦（他）找你辞职，因为你（是）一把手，（他）找你辞职，（他下定决心要走）已经是定下来的。如果你挽留他，我觉得并不是最好的方法。我谈我的看法，我过去经常发生这种事，尤其在早期的时候，员工找我辞职或干部找我辞职，前期我都是挽留的。后来10年下来，我挽留过的人最后一个都没有留下来，半年之后又走了，一年之后又走了。这时候我觉得最应该考虑的有两点，第一点，既然有员工找我辞职，我有没有问题？我的企业有没有问题？有问题马上修正。第二点，你要搞清他为什么走？我能为他做什么？但是重点不是在挽留他，当下属都知道只要找老板辞职，老板不挽留的，一般来讲再想通过辞职的方式来获取更高的薪水，这条路也就堵死了。[①]

史玉柱强调，如果采取挽留核心员工的办法，肯定是留不住的。既然如此，就不挽留。反观征途网络，其人才流失率非常低。

可能读者会问，史玉柱是用何种办法将人才留住的呢？史玉柱是这样介绍的：

---

① 史玉柱：《巨人网络老总史玉柱企业经典语录（二）》，见http：//www.a820.com/a/mr/2011/0918/57.html。

征途这家公司从成立到现在，尤其是我开始接手担任CEO以来，到目前为止，我们的研发干部没有走掉一个员工，骨干（也）没有走一个，全部留下来了。可能我们是这个行业当中最稳定的（公司），（虽然）技术人员或者客服员工（可能会）有流动，但是研发的流动性非常低，至少骨干人员没有走。

我们从两个方面去做工作，第一，要实现个人的自我价值，你把每个人放在合适的位置，他的兴趣在哪里？比如说兴趣在服务器里面的研发。就是把每个人放在合适的位置，并且给他一个很好的舞台让他发挥能力。

第二，很好的待遇。我们研发骨干的待遇在中国肯定是最高的。我们上市的时候亿万富翁是21个，这里面大多是我们的研发骨干，后来股价下跌没有这么多（钱了），但是也有几千万。所以我们给员工的待遇非常好。

你只要在这两个方面做好工作，个人价值（得到）充分的实现，另外是能富裕，我相信他（们会）是稳定的。事实也证明我们过去实施的措施是不错的。①

① 史玉柱：《巨人公测发布会史玉柱答记者问实录》，见http：//games.sina.com.cn/o/n/2008-03-09/1039238717.shtml。

第三章
给员工高工资时成本最低

根据我的经验来看，给员工高工资时，（公司的）实际成本是最低的，公司是主动的。在人才面前，若你比其他竞争对手给出的工资高一截，一年之后你回过头来看，你所获得的利润远远高于你所付出的成本。企业最高的成本不是给合格员工发高工资，而是还在给大量不合格员工发低工资。

——巨人创始人　史玉柱

高薪是最能激发员工工作热情的

对于任何一个管理者而言，善待员工才是留住核心员工的一个最好办法。在一些场合下，史玉柱曾告诫创业者说："根据我的经验来看，给员工高工资时，实际成本是最低的，公司是主动的。在人才面前，若你比其他竞争对手给出的工资高一截，一年之后回过头来看，你所获得的利润远远高于你所付出的成本。企业最高的成本不是给合格员工发高工资，而是还在给大量不合格员工发低工资。"

在史玉柱看来，要想让人才为企业打拼，给予其较高的薪水是必然的。2008 年 1 月 15 日，在《赢在中国》第三赛季 36 进 12 的第三场节目现场，已连续两个赛季担任《赢在中国》36进12评委的史玉柱在点评11号选手谢莉时说："哪怕你（给的高薪）只比第一、第二位的高出一点点，效果也会非常明显！"

史玉柱的点评立即博得了现场一片热烈的掌声。至于原因，史玉柱作出了分析："当你给员工高薪时，表面上看仿佛增加了企业成本，实际不然。我这些年试过了各种方法，高薪、低薪（都试过），但最后发现，高薪是最能激发员工工作热情的，也是企业成本最低的一种方式。"

事实上，在人才流动频繁的今天，富有竞争力的薪酬待遇才有可能留住优秀员工。当然，作为人力资源部门，必须清楚，企业设计哪一种的薪酬体系才能让员工满意？企业需要采用多高的薪酬才能吸引并留住最优秀的员工？

研究发现，留住优秀员工与富有竞争力的薪酬体系是分不开的。薪酬是企业对员工为企业所做的贡献而付给员工相应的回报和答谢。因为薪酬可以代表一个员工的地位、成就、能力，所以对员工起着很大的推动或反推动作用。每个职位和每个员工都对企业发展有重大的影响，良好的薪酬体系有利于提高员工的忠诚度，并使企业保持长久的活力。如果企业的薪酬制度不健全、薪酬发放不公平就会影响员工的士气，也会导致员工的积怨越来越多，使工作效率下降。要想充分发挥薪酬激励的作用，调动员工的积极性，企业就必须建立合理的薪酬制度和薪酬管理流程，构筑合理、公平、公正的薪酬水平。因此，要留住优秀员工，给优秀员工富有竞争力的薪酬待遇就尤为重要，这是影响优秀员工积极性的关键因素。

在人力资源管理体系中，健全的薪酬战略是吸引、激励、发展与留住人才的最有力工具。然而，在长期的管理实践中，有些企业由于在人力资源管理方面经验的积累时间很短，再加之企业对这方面的管理工作重视程度不够，人力资源管理的基础性工作有着严重缺陷，企业薪酬矛盾越来越突出。[①]

在这样的背景下，作为人力资管理来说，要想真正地留住优秀员工，就必须提供富有竞争力的薪酬。研究发现，富有竞争力的薪酬必须达到三个目的，见表 8–3–1。

表 8–3–1 竞争力薪酬达到的三个目的

(1)	企业提供具有市场竞争力的薪酬，以吸引、留住与企业有相同价值观的优秀员工。
(2)	确定组织内部的公平，合理确定企业内部各岗位的相对价值。
(3)	薪酬必须与工作绩效挂钩，激励优秀员工的工作动机，奖励优秀的工作业绩，利用金钱奖赏达到激励优秀员工的目的。

从表 8–3–1 可以看出，要想从根本上吸引和留住优秀员工，就必须提供给优秀员工富有竞争力的薪酬。企业给优秀员工提供的薪酬水平是否合理，将直接影响到该企业在人才市场的竞争力。

一旦企业给优秀员工提供了富有竞争力的薪酬，企业才有可能吸引发展所需的各类优秀员工。假设某个企业给优秀员工提供的薪酬水平偏低，特别是关键的技术骨干力量的薪酬水平较市场明显偏低。如果企业此刻再不进行薪酬调整，那么就会因为没有给优秀员工提供富有竞争力的薪酬，而导致企业技术骨干和部分中层管理者流失。

而技术骨干和部分中层管理者流失不仅增加了新员工招聘的成本，同时还有可能给竞争对手培养了人才。而曾经的某些领先技术，极有可

① 佚名：《某物业管理公司的薪酬激励》，见 http：//www.ev123.com/servers/managerdoc/2/2014.shtml。

能被竞争对手在短时间内超越。因此，如果不给优秀员工提供富有竞争力的薪酬，造成企业优秀员工流失的后果是极为明显的，其结果是造成企业不断招聘新员工以满足运作需求的同时，优秀员工又不断离职的恶性循环，这不仅增加了企业的培训和招聘成本，而且还造成了企业人力资源的极大浪费。

另外，企业如果不给优秀员工提供富有竞争力的薪酬还会影响员工的工作积极性。对此，哈佛大学教授威廉·詹姆斯在通过实验后发现，在缺乏科学、有效激励的情况下，人的潜能只能发挥出 20% ~ 30%，科学有效的激励机制能够让优秀员工把另外 70% ~ 80% 的潜能也发挥出来。

从威廉·詹姆斯教授的发现来看，在实际的管理中，激励更是人力资源管理的核心，而薪酬激励又是企业激励机制中最重要的激励手段，也是目前企业普遍采用的一种有效的激励手段。相对于内在激励，管理者更容易控制它（薪酬激励），而且也较容易衡量其使用效果，如果能够真正发挥好企业薪酬对优秀员工的激励作用，就能达到企业与优秀员工双赢的目的。因此，一个企业能否建立起完善的激励机制，将直接影响到员工的工作积极性、责任心，甚至是能否留住优秀员工。

在早期的珠海巨人集团时代，史玉柱为了提升员工的积极性和主动性，曾经采取过军事化管理的措施。但实施过一段时间后，收效甚微。后来，史玉柱反省说："大多数员工的使命是打工挣钱、养家糊口。虽然军人有对国家和民族(效忠)的义务，但员工没有对老板效忠的义务。"

时任巨人集团副总经理的王建回忆说："20 世纪 90 年代中期，脑黄金战役第一阶段考核结束后，按照制度规定，对完成任务的经理兑现奖金，其中江苏和浙江分公司的两名经理个人奖金累计近 40 万元，相当于当时广东市场一个月的回款。在集团办公会议上，面对奖金问题谁也不做声了，因为财务干脆把问题捅开了，若干个分公司存在回款作假，财务认为奖金不能这么快发。”

面对要榜样还是要制度、要士气还是要议论的问题，史玉柱最终还是力排众议，按照制度颁发奖金。当负责财务的王育怀抱沉甸甸的现金进入表彰大会现场时，会议已经结束了，全体员工都在等，连保安都擅自离岗，拥至会场。王育一出现，史玉柱就说，你们看，王育都抱不动了。全场的目光由主席台转向王育，先是寂静，继而掌声雷动。①

此时，史玉柱向参加表彰大会的员工说：“能者多得，只要能为巨人做出贡献，（我们）不拒绝索取，要在巨人内部培养一批富翁。”

当两名经理的事迹在巨人集团传开后，在尔后的“脑白金”时期，巨人的员工们疯狂地工作、疯狂地加班，史玉柱经常会在员工加班的时候动不动就发上几千元的奖金，让人惊喜不已。

给员工高薪，你的企业成本是最低的

创业者可能会觉得给员工有竞争力的工资，无疑会增加过重的人力成本负担。但是，事实证明，高工资能为企业带来高效率，因为高工资能吸引和留住高素质的人才，而这些人才能为企业创造高效率与高价值的结果回报。低工资的人工则会产生低效率与低价值的结果回报，如导致其他成本或费用（如市场营销、采购、生产、办公、管理等方面费用）

① 杨连柱：《史玉柱如是说——中国顶级 CEO 的商道真经》，中国经济出版社 2008 年版。

的上升。当然高工资应该有个度，这个度就是人的能力和贡献度应与其工资水平相符。而人的能力发挥程度受企业领导力、文化、组织机构及管理制度等企业环境因素的影响最大。①

在《赢在中国》现场，谢莉的出色表现也获得了史玉柱的赞赏。史玉柱点评说："给员工高工资的时候，实际上是成本最低、公司的利润率最高的时候。"

在36强进12强的比赛上，史玉柱给了谢莉这样的建议："我们商量决定给员工加薪20%~30%。"

史玉柱的话让余勇夫妇深深地反思。春节前，余勇为公司员工涨了工资。"表现能干的人员才涨工资。"余勇说，此举也是为公司挽留人才。

在史玉柱看来，当给员工高薪时，企业的成本是最低的。史玉柱这个观点的提出，有着非比寻常的意义，在某种程度上，将会改变目前很多企业老板对员工待遇的制订策略，也将会使优秀人才拿到更高的薪水。②

不可否认的是，史玉柱作为一个商人，深知人才的重要。在企业生存和发展中，优秀员工是企业生存发展的重要基础。可以说，公司稳健发展离不开优秀员工；公司做大做强离不开优秀员工；公司克服危机重现辉煌也离不开优秀的员工。优秀员工是企业提高核心竞争力，实现永续发展的基石。③

---

① 佚名：《领导者"以人为本"为中心》，见http：//www.doc88.com/p-972197234020.html。

② 佚名：《企业如何激励员工工作呢》，见http：//hr.bjx.com.cn/html/20090210/197656.shtml。

③ 佚名：《企业如何留住优秀员工》，见http：//www.doc88.com/p-29896936711.html。

在史玉柱看来，对人才的投资也是一种具有高回报的风险投资，投入高，回报也多；投入少，回报也少。而投入高，不仅能留住现有人才，使其更有激情工作，有更高的效率，也有利于培养员工的忠诚度，使员工流动率低。①

在待遇方面，脑白金时期史玉柱的做法是：重点技术人员不受公司级别制度限制，只要技术能力强，就不怕付出高额报酬。

后来，做网游时，史玉柱将这套模式运用到了游戏团队中，他说："游戏团队的薪水我不管，由管理层定。工资是一事一议，开多少钱评估一下，值得就给，不受任何制度等级限制。中小公司不会这么舍得（付高额报酬），但丁磊我想他会舍得。陈天桥就没那么大方，当然也相当不错。不过陈天桥给钱的方式有问题，比如说给期权，人家有意见。他做了冤大头，给了好处下面人还不好好待他。"

史玉柱要让研发人员感觉到，征途网络给他们的报酬绝对是在整个行业中居于前列的。在《征途》开发过程中，史玉柱出手颇为大方，给整个研发团队开出了很高的工资。史玉柱还指出了网游行业的弊病。他认为，这个行业的员工比其他行业的员工更计较钱。

《征途》网络某负责人承认，这个20人的研发团队的薪水、所占期权在当时与同行业相比是非常高的，相比征途网络后来的其他研发人员更高。

原来这是经实践检验正确的史氏定理。君不见有多少人跳槽是因为薪水低吗？高薪在某种程度上不是也降低了人力成本吗？与此同时，还能吸引优秀人才加盟，使企业发展永远不缺人才！而那些实行低薪战略

---

① 佚名：《史玉柱：给员工高薪，成本是最低的》，见 http：//www.douban.com/group/topic/2508179/。

的企业却是天天招人招不到，主动给求职者打电话都不来面试，相信他们永远体会不到不缺人才的幸福快感。[①]

给员工高薪，需要魄力，需要勇气，也需要实力，更需要眼光，这些条件史玉柱是都具备的。因此，史玉柱能提出这样的观点，能这样去做。

当然，薪酬激励并非盲目地给员工高薪，能否有效地运用好薪酬激励，使员工发挥最大的作用，这里是有一定的技巧性的。

按照马斯洛的需求层次学说，人的需求是由低层次需求向较高层次需求跃迁，并渴望得到满足的，见图 8–3–1。史玉柱给《征途》网络的研发人员高薪，可以很容易地留住重点员工和业务骨干，这对于《征途》网络这样的高科技公司非常有效。在这种公司，通常 80% 的业绩是由 20% 的精英来完成的，少数骨干决定了公司的发展，研发人员正是网游公司的灵魂。[②]

而在工作和思想情感上的需求一旦得到满足，员工的内部动力就会得到最大限度的外释，从而上升到更高层次的追求，促进各项工作的开展。

相反，员工的自尊心一旦受到伤害，即使是无意的，也会留下心理创伤。由此造成情绪低落，甚至产生逆反心理，其表现方式是隐性或半隐性的，这势必影响整个企业的人际关系和工作氛围，压抑员工的进取意识和创新精神，从而加剧了优秀员工流失的几率。

① 佚名：《发薪者领薪者都应为史玉柱叫好》，见 http：//info.1688.com/detail/1001472612.html。

② 杨连柱：《史玉柱如是说——中国顶级 CEO 的商道真经》，中国经济出版社 2008 年版。

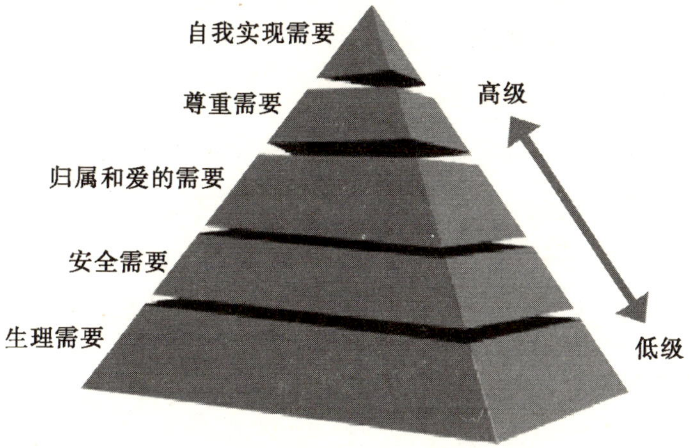

图 8-3-1 马斯洛需求图

从马斯洛的需求层次学说可以看出，在企业人力资源的管理中，薪酬管理只是激励员工的一个有效手段而已。当然，仅靠薪酬管理来留住核心员工这其实也是不现实的。当然，只注重少数骨干，对其他员工不理不问，这样的企业也是不平衡的。明智的做法是：对高层员工的工资采用高于市场平均值的增长率，对中层员工和业务骨干的工资采用平均市场增长率，对一般员工则保持工资不变。当然，让所有员工享受到公司发展的喜悦，可以最大限度地保持公司的凝聚力。

巨人网络上市之后，在公司内部的庆功宴上，史玉柱宣布了两个消息，一个是给公司员工每人发一枚金币，另一个是给公司所有员工加工资，一个也不漏。上市之后，史玉柱在接受媒体采访时说："刚做这家公司的时候，同行业内对我们都看不起，到现在，我们已经成为这个行业内市值第一大的公司了，大家精神上非常开心，然后待遇上，我们给所有的骨干、所有的研发人员发了期权，上市后他们马上就可以衡量出来他们期权的价值，我们公司现在一下子诞生了 21 个亿万富翁，还有近200个百万以上的富翁，大家可以改善自己的生活。”

有记者曾经问过史玉柱，《征途》在线人数超过百万，针对这个成绩你制订什么样的员工奖励政策？史玉柱的回答是：“我们每个季度或者每个项目都定了奖罚措施，只要取得大的成就我们内部一定会有一次发奖金的过程，该奖一定奖，奖罚分明。所以《征途》（在线人数）到152万人，一定会有奖金，不但有奖金，我还会请他们喝一顿。如果没有达到具体的目标该罚也会罚，这就是我们管理的基本原则。所以我们的员工整体的待遇还是非常好的。”

第四章
点燃老团队的创业激情

除了像《征途》运营比较成功的（项目）留在集团里面，把所有的项目都成立一个独立的公司——一个项目组成立一个公司——到工商局注册的独立的有限公司，然后就是巨人网络投入现金占51%，所有的研发人员必须要掏钱，投入了49%，如果这个项目成功了，这个49%你可以分红，如果出现了第二个征途，那么你这个公司就可以继续上市了。如果亏损了，巨人网络的51%必然是亏掉了，你的49%也没了，这样的话他们的压力就大了，这样创业的激情又被重新点燃。

——巨人创始人　史玉柱

让开宝马的团队激情四射

事实上，对于任何一个企业而言，在初创时，不管是创业者，还是员工大都有着充沛的激情和热忱，每个人都有着旺盛的创造力。然而，随着规模的扩大，形式主义和官僚主义也随之开始滋生，公司就渐渐失去了活力，走上衰退之路。

在巨人网络公司，这样的问题也同样存在。巨人网络赴美上市后，特别是在赴美上市后的两年时间中，史玉柱充满了忧虑。

巨人网络发展乏力的症状浮出水面的时间大概是从2008年下半年开始的。这对于史玉柱而言，是一种难以言说的状态。在巨人网络账上拥有50亿元资金，巨人网络税后利润超过10亿元。

但此刻《征途》已经进入瓶颈，而《巨人》未达预期，增长速度明显放缓。2008年下半年，巨人网络的第二个项目《巨人》没有达到预期增长，这个可怕迹象的出现让史玉柱明显地觉察到，未来公司的成长可能达不到预期。

史玉柱研究分析后发现，《征途》已经进入瓶颈，而《巨人》未达到预期的主要问题，竟然出在产品战略上。由于产品线过于单一。在上市前，这个风险还处在潜伏阶段，但在2007年上市后的半年，这种迹象越来越明显。

事实上，在公司财报上已经反映明显。巨人网络2009年第二季度财报显示，其净收入同比下降27.9%，净利润同比下降33.9%。一款产品成功之后，同一个团队的第二个产品往往不成功，这似乎已经成了一个魔咒。①

当网络游戏《征途》大获成功后，让史玉柱没有想到的是，由同一个主策划带领团队制作的第二款游戏《巨人》却没有达到期望的业绩，其业绩非常不理想。

在遭遇增长瓶颈之后，史玉柱认为，突破增长瓶颈的关键在于如何能把第一次成功的包袱给甩掉。

史玉柱经过很长一段时间的反思发现，在《巨人》网络游戏推出之

① 陈墨：《巨人网络上市后发展乏力　史玉柱几板斧破解》，载《21世纪经济报道》2009年12月12日。

前，团队的危机意识灌输得不够。除了危机意识不够，这支团队还缺更上一层楼的工作激情。

在巨人网络赴美上市之前，除了史玉柱之外，巨人网络的团队成员基本上都以工资为主要收入。然而，当巨人网络赴美上市之后，巨人网络的团队成员一下子出现许多百万富翁，甚至千万富翁。尽管这不存在必然的因果关系，但是史玉柱却认为这些“住着别墅，开着宝马上班”的研发人员，缺乏了以前拼命工作的激情了。

《征途》已经进入瓶颈，而《巨人》未达预期，就意味着巨人网络整个研发团队的创业激情正在消失。找到症结的史玉柱决心重新点燃创业团队的激情，在2008年第四季度，他下决心开始打破大锅饭。这是史玉柱点燃创业激情的第一步。史玉柱是这样做的，所有巨人的项目，每个项目独立成立一个新公司并进行工商注册。在每个新公司中，集团投资51%，研发人员投资49%。每个项目独立核算，又一次将研发人员抛入“没有安全感”的境地之中。

不过，一个项目如果成功了，研发人员可以从49%的股份中分红。一旦出现如《征途》一样的大作，这个独立的小公司甚至可以选择上市。

从集团角度来说，本来不这么做，也需要大笔投资，投资之后亏了，对集团而言是100%的损失。实行该制度后，损失减少到51%；同样研发一个项目，集团投入的总费用基本上减少一半，总体投入效率比以前提高了。[1]

---

① 陈墨：《巨人网络上市后发展乏力 史玉柱几板斧破解》，载《21世纪经济报道》2009年12月12日。

保持住激情就能保住成功

史玉柱坦言，要想激发创业团队的激情，就必须弄明白员工为什么要跟你干。史玉柱说：

作为我就要琢磨员工，他为什么要跟着我干？感情有时候有不可替代性，除了感情因素之外，他跟着你干主要追求什么？要仔细罗列，能罗列出几十点，但我认为其中两点是最重要的：第一点是收入，他个人（收入）是否改善，这个过去可能我们羞于启齿，包括我第一次创业的时候，老是用事业心、企业文化想去淡化这个，事实上是不对的。我觉得作为一个老板心里要明白，他凭什么跟着我干？就是为了钱。为了钱这是很正当的，我跟你干，我要获得一个好的收入，我要改善我的生活，我要提高我的生活质量。既然非常正当，就可以放在桌面上去说，在条件允许的时候应该满足他，他做出多少贡献你就应该给他多少报酬，所以上级对下级一定不能抠。员工该拿的钱一定要给他，除了正常该拿的钱之外，如果他有贡献的话你还是要给特殊的收益，这是第一点。

第二点追求是个人自我价值的实现，这个跟之前我说的事业心相关，他总是想个人的价值实现得到上级、同事以及同行的认可，你就要创造这样一个环境、这样一个条件，你要给他搭舞台。[1]

在史玉柱看来，要让开宝马的团队激情四射就必须提供合理的薪水和自我实现个人价值的平台。

在中央电视台财经频道《赢在中国》第三赛季晋级篇的第二场中，本场创业选手是吴鹏，男，出生于1970年，专科学历。他的参赛项目是，建立中国最大的体育纪念品营销平台。吴鹏是这样介绍创业项目的："目前公司里我做的项目是国家金牌运动队和运动协会的专属纪念品和收藏品的连锁销售。运营模式是从国家金牌运动队如乒乓球、跳水等，拿到独家授权，进行特许连锁专卖。类似于北京2008年奥运会的特许产品连锁专卖。"

史玉柱对吴鹏的点评如下："我提一个建议。看简历，你非常热爱体育运动，也非常热爱你的项目。我希望你能持续热爱这个项目8年、10年，甚至20年。保持住激情就能保住成功。"

在这里，我们来看看史玉柱曾经发表在《首席执行官》上一篇名为《如何点燃老团队的创业激情？》[2]的文章，文章内容如下：

> 十二年前我去西藏，是因为老的巨人救活不了。救活不了之后我选择放弃，想着等以后赚钱再还债务，但当时也解决不了债务问题，就彻底地绝望了。然后新的项目脑白金那个时候

① 史玉柱：《史玉柱自述：我是如何带队伍的》，见http：//games.sina.com.cn/y/n/2013-06-17/1435712478.shtml。

② 史玉柱：《史玉柱：如何点燃老团队的创业激情？》，载《首席执行官》2010年10月26日。

是属于报批阶段，于是我就没什么事干，我很喜欢去西藏，很向往那个地方，所以我就去玩了，当时是这样的一个背景。

而这次我去西藏是因为过去一两年一直在做网游。就是说我个人的角色是在抓研发，研发之外全部是总裁刘伟在负责。但是我感觉研发对我个人的依赖性很强，如果我个人状态出问题的话，会影响到整个公司的发展，所以我过去差不多有一年半的时间，逐步选择从研发这样具体的管理岗位上撤出来。我要去培养人才，我要去选合适的人，放在合适的岗位进行培养。

（目前）选中的人时间安排得差不多了，她也感觉到工作比较胜任了，我就突然从管理一线上撤下来了。以前很多事要做，现在突然一下子事少了，自己在上海也挺难受，所以干脆我跑出去玩，于是就去西藏了。

我肯定会思考。因为这跟12年前不同，当时我的公司已经死掉了，或者已经休克了，而现在我们也遇到一些困难，不过目前的困难是发展上的困难。首先公司（面临的）不是以前的资金问题。目前我们是零负债，不管我个人的公司还是我的上市公司都是零负债，而且还有好几十亿的现金储备。但是公司的可持续成长出现乏力，从去年7月份到今年这1年多的时间，（公司发展）后劲不足。虽然公司的税后赢利还是超过10亿并不是什么亏损公司，但是未来的增长点在哪里？发展战略如何？确实需要思考。

巨人上市之后存在几个问题，首先是上市之后整个研发团队的创业激情消失了。为什么创业激情会消失呢？就是上市之前除了我之外，大家都很穷，就靠工资，尽管工资一个月可能还有1万、2万收入，但在上海这个地方这个收入至少不算富裕。但上市之后，一下子出了那么多百万富翁、千万富翁了，这些研发人员住着别墅、开着宝马上班，他就不像以前那么拼命了，干扰太多了。过去可能就研发一件事，这个时候，宝马又出啥新款？哪的别墅打折销售？人都被干扰了。

公司大了我觉得出现浪费也没关系，反正账面还有50亿元现金放着。但是好几千人的公司容易出大公司病，大公司病一出来，大锅饭情况就避免不了。所以现在解决办法就是，把每个研发人员放到小的核算单位里去，除了像《征途》运营比较成功的（项目）留在集团里面，把所有的项目都成立一个独立的公司，一个项目组成立一个公司——到工商局注册的独立的有限公司，然后就是巨人网络投入现金占51%，所有的研发人员必须要掏钱，投入了49%，如果这个项目成功了，这个49%你可以分红，如果你出现了第二个征途，那么你这个公司就可以继续上市了。如果亏损了，巨人网络的51%必然是亏掉了，你的49%也没了，这样的话他们的压力就大了，这样创业的激情又被重新点燃。

（员工）没有不干的，因为网游公司成功其实都是很快的。所以每个人都在想，这个公司说不定也能搞成，也能马上上市，然后这样子的话一下子就把创业激情问题解决掉了，大锅饭的问题解决掉了。像过去加班到晚上12点员工打的回家，次日拿发票到公司报销。现在他们都不打的了，打的发票也不拿来报销了，他们自己知道节约了，这样我们整个研发的成本降低了。同样研发一个项目的费用，现在的费用比过去能减少一半，效率比以前高了。

免费模式现在大家（同行）都用了，我们的商业模式曾经的创新竞争力就没了，所以要继续创新。经过我们研讨，我们目前制订的战略就是模式再造，这个革新重点要靠向非付费玩家全面倾斜。所以我们就提出一个口号，得非人民币玩家者得天下，我们就以这个作为我们的基本指导思想来进行探索。

对于《绿色征途》，我还是充满信心的。现在我们正在研发7款游戏，未来一年都会上市的，7款游戏都坚持这个商业模式。后面的游戏推出来的时候，我们的玩家会非常喜欢。

传统免费网游中，玩家需要的道具、材料、装备等必须通过官方购买，花钱越多角色越强。《绿色征途》让非付费玩家有“钱”花，官方不再出售道具、装备和材料，玩家可以自己制造，并相互交易，非付费玩家可以通过制造材料，并出售给其他玩家获得游戏币。

非付费玩家更“强大”——传统免费网游中，非付费玩家无法获得好装备，在与付费玩家PK时处于绝对劣势。《绿色征途》保护等级低和装备差的玩家的PK环境，不让玩家为游戏等级、装备花费更多时间和精力，使非付费玩家玩得更轻松，感觉更公平。一句话就是让非付费玩家更“重要”——非付费玩家拥有更多独特价值，不付费也能体验丰富的游戏乐趣和角色荣耀。

（我和其他企业家的）交流最近开始多起来，以前也挺少的。因为最近我有意地减少去公司了，但公开活动我还是很少参加。企业家的聚会，我以前也是不参加的，现在我觉得谈得来的我一般会参加，但是这样也会有副作用。

不久前一个企业家朋友说，我有个聚会你得参加一下，抹不开这个面子，就去了一趟，结果一去才知道，那么多明星在那个地方。里面都是电影明星，但是电影明星我都不认识，于是很尴尬，这种事以后我还是要避免。

那次是慈善活动。但即使这样，做事干吗一定要那么高调呢？比如说慈善，其实我们也在做，但是慈善应该低调地做，在中国高调地做完了骂你的人多。

泰山产业研究院、金鼎俱乐部，我主要就是这两个社交圈，这两个圈的大部分会我参加，我现在企业家圈子基本上都是这两个。

（我的话题）很杂，每个企业都谈自己的事。现在可能谈投资会谈得多一点，因为现在企业跟过去不一样，手里都有钱，谈投资，财务性投资，这个可能多一些。

其实一个亿以上的钱，一亿跟一百亿就没有太大区别。有了房子，有了车子，有一亿，其实也就差不多了。比如现在我就觉得挺安全。

我以前胆子很大，其实这12年（里）我胆子是最小的。为什么账上放那么多现金？不敢负债？我一个时期只做一件事，其实是胆小的表现。至少我认识的几十个企业家里面，（我是）胆子最小的，而且是大家公认的，赌徒的反面。

众所周知，激情是提升企业竞争力的源动力。对此，巨人网络总裁纪学锋在接受媒体采访时说："我们相信在内容为王的网游领域，强大的自主研发是核心竞争力。巨人网络拥有业界最顶尖的研发团队，一直以来都能准确地把握玩家不断变化的需求并迅速做出反应。公司将继续激励研发团队保持创业、创新的激情，以玩家需求和体验为核心，专注打造精品游戏。"

参考文献

[1] 班丽婵:《史玉柱三大"杀手锏"》,载《广告主》2007年第11期。

[2] 佚名:《财富新发现: 中国市场之诚信回归篇》,载《北京青年报》2002年1月14日。

[3] 成杰:《史玉柱传奇》, 中国致公出版社2008年版。

[4] 成时:《史玉柱传奇》, 中国经济出版社2009年版。

[5] 迟双明:《史玉柱败中求胜的66金典》, 当代世界出版社2003年版。

[6] 陈墨:《巨人网络上市后发展乏力　史玉柱几板斧破解》,载《21世纪经济报道》2009年12月12日。

[7] 常桦:《创业教父》, 中国华侨出版社2010年版。

[8] 戴素菊:《史玉柱的人生哲学》, 浙江人民出版社2009年版。

[9] 冯雷钢:《和史玉柱一起创业》, 工人出版社2009年版。

[10] 傅野、张现军:《大危局》, 九州出版社2012年版。

[11] 樊一阳、徐玉良等:《创业学概论》, 清华大学出版社2010年版。

[12] 顾一琼:《创业时还需培养良好心态》, 载《文汇报》2006年8月19日。

[13] 高尚:《哪种创业者成功几率高》, 载《深圳商报》2005年7月15日。

[14] 贺尊:《创业学概论》,中国人民大学出版社 2011 年版。

[15] 黄远:《巨人史玉柱“遗产”:告诫青年创业者脚踏实地》,载《第一财经日报》2013 年 4 月 12 日。

[16] 何学林:《巨人史玉柱怎样站起来:脑白金的战略与策略》,光明日报出版社 2002 年版。

[17] 姜猛:《创业:20 岁做百万富翁》,金城出版社 2008 年版。

[18] 李贤柏、喻科、程新平:《创业学》,重庆大学出版社 2009 年版。

[19] 李时棒、常建坤:《创业学:理论、过程与实务》,中国人民大学出版社 2011 年版。

[20] 李文庠:《赢在创业:选择创业项目的 58 个方向》,中国纺织出版社 2012 年版。

[21] 李治仪:《小老板的创业经:创业头三年动作全分解》,北京联合出版公司 2013 年版。

[22] 刘平、李坚:《创业学:理论与实践》,清华大学出版社 2009 年版。

[23] 刘沁玲、陈文华:《创业学》,北京大学出版社 2012 年版。

[24] 刘志阳:《创业学》,格致出版社 2008 年版。

[25] 刘平:《创业学原理与应用》,东北财经大学出版社 2008 年版。

[26] 刘世平:《创业要按兴趣去做》,载《中国青年报》2007 年 5 月 24 日。

[27] 栾燮:《如何成为一家伟大的公司?》,载《南方都市报》2008 年 8 月 3 日。

[28] 刘艳静:《江湖商人史玉柱:创新年代》,现代出版社 2009 年版。

[29] 梁素娟、刘红强:《游戏江湖：陈天桥向左，史玉柱向右》，新世界出版社 2009 年版。

[30] 吕叔春:《史玉柱最有价值的商场博弈》，中国城市出版社 2008 年版。

[31] 【美】兰姆英、库尔:《创业学》，东北财经大学出版社 2009 年版。

[32] 【美】杰弗里·蒂蒙斯、小斯蒂芬·斯皮内利:《创业学（第六版）》，人民邮电出版社 2005 年版。

[33] 【美】库洛特克、霍志茨:《创业学：理论、流程与实践（第 6 版）》，清华大学出版社 2004 年版。

[34] 【美】格伯:《创业必经的那些事 2》，中信出版社 2010 年版。

[35] 【美】巴林杰:《创业计划：从创意到执行方案》，机械工业出版社 2009 年版。

[36] 【美】罗伯特·清崎:《富爸爸成功创业的 10 堂必修课》，南海出版社 2009 年版。

[37]【美】布兰克、多夫:《创业者手册：教你如何构建伟大的企业》，机械工业出版社 2013 年版。

[38] 【美】莱斯:《精益创业》，中信出版社 2012 年版。

[39] 【美】塞诺、【以】辛格:《创业的国度》，中信出版社 2010 年版。

[40] 【美】格伯:《创业必经的那些事 1》，中信出版社 2010 年版。

[41] 【美】卡梅伦·约翰逊、约翰·大卫·曼恩:《创业去》，南海出版社 2011 年版。

[42] 【美】安迪·攀:《融资奔向中国创业板》，石油工业出版社 2011 年版。

［43］马文凤：《呼唤诚信：全社会的心声》，载《河北经济日报》2009 年 6 月 13 日。

［44］梅朝荣：《中国最牛的营销大师史玉柱》，武汉大学出版社 2008 年版。

［45］彭征、姚勇：《史玉柱精彩语录》，中国纺织出版社 2009 年版。

［46］彭征、姚志勇：《巨人说史玉柱悟道征途》，华中科技大学出版社 2010 年版。

［47］彭征：《一胜九败 4：史玉柱的挫败哲学与苦难商经》，中华工商联合出版社 2012 年版。

［48］【日】大前研一等：《创业圣经》，东方出版社 2009 年版。

［49］【日】村上隆：《艺术创业论》，中信出版社 2011 年版。

［50］【日】神田昌典：《餐巾纸上的创业课》，重庆出版社 2009 年版。

［51］屈腾龙：《史玉柱：最成功的失败者》，载《商界》2007 年第 10 期。

［52］任宪法：《白手创业》，中国经济出版社 2011 年版。

［53］阮立军：《标杆之道》，凤凰出版社 2010 年版。

［54］史玉柱：《史玉柱自述：我的营销心得》，同心出版社 2013 年版。

［55］史玉柱：《史玉柱：如何点燃老团队的创业激情？》，载《首席执行官》2010 年第 10 期。

［56］史玉柱：《史玉柱：现在的关键是抵制诱惑》，载《创业家》2009 年第 6 期。

［57］史玉柱：《免费网游商业模式即将成为过去》，2013 年 10 月 15 日，http：//tech.163.com/08/0716/11/4GVHTJN900092Q8K.html。

[58] 史玉柱:《唯有创新才有出路》,载《创业家》2008 年第 11 期。

[59] 孙富鑫:《史玉柱谈创业》, 海天出版社 2009 年版。

[60] 孙力:《创城记》, 2013 年 10 月 20 日, 见 http: //vip.book.sina.com.cn/book/chapter_221440_238974.html。

[61] 石育斌:《助您成功登上创业板: 中国私募股权融资与创业板上市实务操作指南》, 法律出版社 2009 年版。

[62] 宿春礼、陈润:《剑客马云刀客史玉柱: 创业双雄的财富传奇》, 华夏出版社 2009 年版。

[63] 唐华山:《史玉柱创业启示录》, 人民邮电出版社 2010 年版。

[64] 陶军:《史玉柱的人生江湖》, 贵州人民出版社 2011 年版。

[65] 田昌宇:《史玉柱的创业智慧》, 浙江大学出版社 2010 年版。

[66] 田建华:《创业教父史玉柱》, 江苏文艺出版社 2009 年版。

[67] 谭古:《浙商创业精神解读》,载《科技创业》2007 年第 1 期。

[68] 魏拴成、姜伟:《创业学: 创业思维 · 过程 · 实践》, 机械工业出版社 2013 年版。

[69] 翁宝:《理财周报: 史玉柱的偏执》, 载《理财周报》2007 年第 8 期。

[70] 王宇:《史玉柱: 中国顶级商人的做事真经》, 中国物资出版社 2008 年版。

[71] 王老建、王屿:《若水方圆史玉柱 (上卷) 谁为晚餐买单》, 陕西师范大学出版社 2011 年版。

[72] 万里井:《史玉柱创业思维》, 新世界出版社 2009 年版。

[73] 徐明天:《史玉柱批判》, 企业管理出版社 2009 年版。

[74] 徐宪江:《富人不说, 穷人不懂: 50 位亿万富豪白手起家的赚钱哲学》, 古吴轩出版社 2011 年版。

［75］谢扬林：《马云的 18 罗汉与史玉柱的 4 个火枪手》，载《中国经营报》2007 年 11 月 11 日。

［76］席宏斌：《东山再起史玉柱》，中国经济出版社 2001 年版。

［77］《赢在中国》项目组：《史式兵法——史玉柱点评创业》，中国民主法制出版社 2009 年版。

［78］《赢在中国》项目组：《史玉柱点评创业》，中国民主法制出版社 2008 年版。

［79］《赢在中国》项目组：《马云点评创业》，中国民主法制出版社 2007 年版。

［80］《赢在中国》项目组：《俞敏洪创业人生》，中国民主法制出版社 2008 年版。

［81］余瀛波：《华商名人堂系列：是非史玉柱》，青岛出版社 2011 年版。

［82］优米网项目组：《创业，名人说》，中国民主法制出版社 2011 年版。

［83］杨连柱：《史玉柱如是说——中国顶级 CEO 的商道真经》，中国经济出版社 2008 年版。

［84］杨艾祥、邹尧：《巨人归来》，中国城市出版社 2008 年版。

［85］袁坤：《史玉柱巨人管理日记》，中国铁道出版社 2010 年版。

［86］佚名：《企业如何留住优秀员工》，见 http：//www.doc88.com/p-29896936711.html。

［87］佚名：《某物业管理公司的薪酬激励》，见 http：//www.ev123.com/servers/managerdoc/2/2014.shtml。

［88］佚名：《史玉柱：女儿也爱玩网游　但不知道自己有股份》，见 http：//it.sohu.com/20071101/n253008089.shtml。

[89] 佚名:《论企业多元化战略》，见 http://doc.mbalib.com/view/3072d536f238a2a261528a87d12255ca.html。

[90] 佚名:《怀汉新》，见 http://baike.baidu.com/view/1262086.htm。

[91] 佚名:《论企业多元化战略》，见 http://doc.mbalib.com/view/3072d536f238a2a261528a87d12255ca.html。

[92] 佚名:《我们从史玉柱身上学到什么?》，见 http://news.qq.com/a/20071122/001822.htm。

[93] 佚名:《史玉柱》，见 http://baike.baidu.com/view/16308.htm。

[94] 佚名:《分清是诱惑还是机遇的鉴证例证》，见 http://blog.sina.com.cn/s/blog_5de088850100dn86.html。

[95] 佚名:《创业型企业应该“先小人，后君子”》，见 http://www.cyzone.cn/a/20080928/48691.html。

[96] 佚名:《巨人超越盛大成中国市值最大网游企业》，见 http://news.17173.com/content/2007-11-01/20071101224632111.shtml。

[97] 佚名:《农村包围城市》，见 http://baike.baidu.com/view/139489.htm。

[98] 佚名:《吴炳新》，见 http://baike.baidu.com/view/1840585.htm。

[99] 佚名:《史玉柱创业故事：我的成功不是靠忽悠》，见 http://www.nbd.com.cn/articles/2008-12-05/138802/print。

[100] 佚名:《史玉柱，胡润财富榜上最富有 IT 商人的近视手术故事》，见 http: //www.dahe.cn/ggzx/zhuanti/purui/ssgs/t20071225_1230994.htm。

[101] 佚名:《史玉柱：企业不盈利不道德》，见 http://finance.sina.com.cn/leadership/mroll/20110818/153910339475.shtml。

[102] 佚名:《诚信——企业用人的第一要着》,见 http://blog.sina.com.cn/s/blog_3ddc60e401000buz.html。

[103] 郑月玲:《创业三剑客——马云、牛根生、史玉柱的商道真经》,人民邮电出版社 2008 年版。

[104] 朱瑛石:《沉浮史玉柱》,当代中国出版社 2006 年版。

[105] 赵越:《史玉柱商道真经》,新世界出版社 2009 年版。

[106] 赵延忱:《中国创业学》,中国人民大学出版社 2010 年版。

[107] 赵越:《左手马云 右手史玉柱》,哈尔滨出版社 2010 年版。

[108] 张炼海:《坚挺的"巨人":史玉柱的营销观》,同心出版社 2011 年版。

[109] 张勇:《天天遇见史玉柱》,科学出版社 2010 年版。

[110] 张勇:《巨人神话:史玉柱》,山西人民出版社 2010 年版。

[111] 张勇:《史玉柱的营销江湖》,科学出版社 2010 年版。

[112] 张永生:《马云向左史玉柱向右》,中国言实出版社 2008 年版。

[113] 张永生:《史玉柱全传》,中国商业出版社 2009 年版。

[114] 张韬:《发招股书 巨人网络拟登陆纽交所》,载《上海证券报》2007 年 10 月 15 日。

[115] 张映红:《史玉柱:创业精神缔造财富神话》,载《证券日报—创业周刊》2007 年 10 月 26 日。

[116] 周锡冰:《史玉柱教你创业》,中国经济出版社 2009 年版。

后 记

毋庸置疑，在中国商业史上，史玉柱可以称得上是一个传奇式的创业人物。史玉柱不仅拥有成功的经验，更拥有失败的教训，这是众多创业大师们所缺少的。

在此，我非常感谢史玉柱先生。没有史玉柱先生的创业范本，我们就缺少了一个研究的案例。

在撰写《命门：中国家族企业死亡真相调查（升级版）》一书时，我就谈到过："失败的教训比成功的经验更值得借鉴。"所以在史玉柱的创业人生中，史玉柱的自我反省和二次东山再起是众多创业者更为关心的事情。因为创业的失败率非常高，中小企业平均存活期由 3 年前的 3.5 年减至现在的 2.9 年。

史玉柱的创业历程就是一个商学院的活案例。在中国，当我们春节期间打开电视机时，经常会听到或看到"今年过节不收礼，收礼只收脑白金"的广告。

尽管史玉柱已经卸任，但是这个广告却没有停播的意思，这足以体现史玉柱式的营销思维。在这个营销思维中，不仅阐释了历经跌宕起伏、历经时间沉淀的史玉柱的商业智慧和人生感悟；而且还书写了史玉柱从 27 岁 4000 元起家到全国排名第 8 的亿万富豪，从一夜之间负债 2.5 亿元的"首负"到借脑白金、网游东山再起的商业传奇。

可以肯定地说，史玉柱是中国改革开放 30 多年来最具传奇色彩的创业者。史玉柱这个商业巨人不仅是中国营销进程的亲历者和推动者，同时也是中国消费者研究最深入的企业家。

1988 年，史玉柱在读研究生期间就敏锐地意识到电脑软件将成为一个巨大的商业市场。从 1989 年创业开始，到 2013 年 4 月宣布卸任 CEO，功成身退的史玉柱给我们提供了一个研究产品开发、营销传播、广告投放、团队管理等知识的范本。

任何一本书的写作，都建立在许许多多人的研究成果之上的。在写作过程中，笔者参阅了相关资料，包括电视、图书、网络、视频、报纸、杂志等资料，所参考的文献，凡属专门引述的，笔者尽可能地注明了出处，其他情况则在书后附注的“参考文献”中列出，在此向有关文献的作者表示衷心的感谢！如有疏漏之处，还望原谅。

本书在出版过程中得到了许多教授、研究史玉柱创业经验的专家、业内人士以及出版社的编辑等的大力支持和热心帮助，在此表示衷心的感谢。由于时间仓促，书中纰漏难免，欢迎读者批评指正。（E-mail：zhouyusi@sina.com）。

周锡冰

2014 年 3 月 27 日于北京

图书在版编目（CIP）数据

史玉柱的8堂创业课／周锡冰著．－北京：东方出版社，2014.4
ISBN 978－7－5060－7444－5

Ⅰ.①史…　Ⅱ.①周…　Ⅲ.①企业管理－经验－中国　Ⅳ.①F279.23

中国版本图书馆CIP数据核字（2014）第083962号

史玉柱的8堂创业课
（SHI YUZHU DE BATANG CHUANGYE KE）
周锡冰　著

责任编辑：鲁艳芳
出　　版：東方出版社
发　　行：人民东方出版传媒有限公司
地　　址：北京市东城区朝阳门内大街192号
邮政编码：100010
印　　刷：三河市金泰源印务有限公司
版　　次：2014年7月第1版
印　　次：2015年2月北京第2次印刷
开　　本：710毫米×1000毫米　1/16
印　　张：16
字　　数：194千字
书　　号：ISBN 978－7－5060－7444－5
定　　价：32.00元
发行电话：（010）64258117　64258115　64258112
